D0726216

La neige de saint Pierre

Dans un hôpital d'Osnabrück, en Westphalie, le 2 mars 1932, un jeune médecin, Georg Friedrich Amberg, émerge d'un coma profond et tente de reconstituer les différents épisodes de sa troublante aventure. *« Ma mémoire emprunte parfois des voies bien étranges »*, dit-il, refaisant surface après son hémorragie cérébrale et cherchant à reconstituer le puzzle de ses souvenirs, comme si d'étranges zones d'ombre s'étaient glissées dans l'enchaînement des événements de ce dernier mois. Est-il un dormeur encore somnolent ou un rêveur éveillé ?
Est-il resté cinq jours inconscient, ou cinq semaines, comme le prétend le personnel hospitalier ? A-t-il vraiment été victime d'un accident de voiture ou frappé par un paysan ? Une jeune chimiste grecque a-t-elle été ou non sa maîtresse ? A-t-il inventé la visite du curé à son chevet ? Son séjour à Morwede a-t-il seulement existé ?
Cauchemar ? Délire ? Conspiration ? Où est la vérité ? Chacun a-t-il sa vérité ? Amberg veut savoir. Il veut comprendre ce qui l'a conduit sur ce lit d'hôpital et ce qui s'est réellement passé à Morwede, cette petite bourgade de Westphalie où il a vécu un mois, engagé comme médecin communal par le baron von Malchin, un curieux aristocrate, jadis lié à son père.
Après Edgar Poe, Hoffmann, Schnitzler ou Henry James, Leo Perutz nous rappelle à quel point est fragile, et confuse même, la frontière entre le vécu et l'imaginaire, la raison et la folie. Visionnaire sensible et parfois voyant, Perutz creuse à son tour ce léger et pernicieux décalage entre le normal et l'anormal.
Brillant conteur, tel un magicien du temps et de l'espace, Perutz brouille les pistes, confond les esprits, séduit et inquiète à la fois. Avec maestria, il superpose les deux versions possibles, celle d'Amberg et celle de son entourage, comme deux niveaux de réalité, deux niveaux de fascination ! Mais ce miroir à double face nous renvoie toujours la même image, celle de la mort, comme si, à travers cette sorte d'allégorie, Perutz voulait initier le lecteur à ce qui guettait la civilisation occidentale, ce monde bouleversé et finissant d'une Europe troublée par une secrète et inguérissable blessure, à la veille de la seconde guerre mondiale. Tout peut déjà basculer dans l'irrationnel et dans l'absurdité pour donner naissance au cauchemar qui déferlera bientôt sur l'Europe avec son cortège d'horreurs et de démence, son souffle d'Apocalypse. Tel est l'envers du décor, la sombre prémonition de Perutz qui annonce la venue des régimes totalitaires. Les autorités nazies ne s'y trompèrent pas en interdisant ce livre peu après sa sortie, en 1933.
On pourrait rapprocher Perutz de Gustav Meyrink et de Joseph Roth. Curieusement, un autre nom s'impose d'abord : celui de Friedrich Dürrenmatt. *La Neige de saint Pierre* évoque irrésistiblement la trame d'un

(Suite au verso.)

roman policier tel que les conçoit l'écrivain suisse-allemand, l'une de ces enquêtes aux résonances métaphysiques où un homme cherche à percer les mystères de son passé et à chasser ses fantômes.
Ce que le héros de Perutz a vécu à Morwede n'a, de toute évidence, rien à voir avec la médecine. Dans le secret d'un laboratoire, Amberg apprend que le baron von Malchin, qui ne rêve que de restaurer le Saint Empire romain germanique, aidé d'une équivoque assistante-chimiste, se livre à de douteuses recherches. Il s'agit, ni plus ni moins, de mettre au point une drogue qui suscitera la ferveur religieuse et ramènera les hommes vers Dieu. Catastrophe ! La drogue, expérimentée sur les paysans de Morwede et l'entourage du baron, les feront brandir le drapeau d'une tout autre religion ! Amberg va-t-il finir par démasquer le fanatique baron ? A moins que la vérité ne reste à jamais insaisissable...
Perutz, comme Dürrenmatt, est passionné d'Histoire, d'investigation, de justice, mais aussi de fantastique, de mystère, d'itinéraire, labyrinthique, d'exploration des âmes. L'humour et les mathématiques les rapprochent encore. Perutz a même mis au point une formule algébrique qui porte son nom, et composé un *Traité du jeu de bridge* fondé sur le calcul de probabilités.
On a parlé de métaphysique. Comment ne pas associer, pour conclure, le nom de Perutz à celui de Kafka ? L'arrivée du héros dans le fantomatique village de Morwede où le temps semble s'être arrêté au Moyen Age, l'atmosphère singulière des rues perdues dans le brouillard, les maisons silencieuses au cœur d'un paysage hivernal baigné d'un soleil pâle et presque irréel, l'étrangeté de leurs habitants, tout concourt à ce sentiment de malaise, de vertige, que l'on ressentait déjà à la lecture des premières pages du *Château*... Leur biographie, du reste, nous le confirme, les deux écrivains ont bien des points communs. Ils sont nés à Prague, l'un en 1882, l'autre en 1883, ils sont Juifs et ils ont, ironie du destin, travaillé un temps chez le même employeur, affronté tous les deux les bureaucraties grises et étouffantes de la même compagnie d'assurances ! Mais la postérité a donné à Kafka sa juste gloire, tandis que Perutz est resté injustement méconnu. Borges eut beau souligner son génie, Paulhan et Caillois le révéler au public français avant la guerre, rien n'y fit.
Leo Perutz va-t-il échapper enfin à son purgatoire ?

Nicole Chardaire

LEO PERUTZ

La neige de saint Pierre

ROMAN

TRADUIT DE L'ALLEMAND PAR
JEAN-CLAUDE CAPÈLE

FAYARD

Ce livre a été publié grâce à la recommandation de
MICHEL-FRANÇOIS DEMET

Cet ouvrage est la traduction intégrale
du livre de langue allemande :
ST. PETRI-SCHNEE
édité par Paul Zsolnay Verlag, Vienne/Hambourg.

© Paul Zsolnay Verlag Gesellschaft m.b.H.,
Vienne/Hambourg, 1933 et 1951.
© Librairie Arthème Fayard, 1987, pour la traduction française.

A la mémoire
de celle dont la perfection
si précoce nous fut si tôt ravie

CHAPITRE PREMIER

LORSQUE la nuit me libéra, j'étais une chose sans nom, une créature impersonnelle qui ne connaissait pas les concepts de « passé » et d'« avenir ». Plusieurs heures durant, mais peut-être aussi seulement l'espace d'une fraction de seconde, je restai allongé, dans une sorte de torpeur à laquelle succéda un état que je ne saurais plus décrire à l'heure qu'il est. Si je disais qu'il s'agissait d'un état de conscience vague, imprécis, allié à un sentiment d'indétermination totale, je n'exprimerais que de façon imparfaite ce que cet état avait de particulier et de singulier.

Il serait aisé de dire que je flottais dans le vide. Mais ces mots n'ont aucune signification. J'avais simplement le sentiment que *quelque chose* existait, mais je ne savais pas que j'étais moi-même ce quelque chose.

Je ne peux dire combien de temps cela dura, ni quand les premiers souvenirs réapparurent. Ils surgissaient en moi et s'évanouissaient immédiatement, je ne parvenais pas à les retenir. L'un d'eux, malgré son inconsistance, me faisait mal ou m'effrayait : je m'entendais respirer profondément, comme dans un cauchemar.

Les premiers souvenirs que je parvins à fixer étaient tout à fait anodins. Je me souvins du nom d'un chien que j'avais eu autrefois pendant quelque temps, puis je me rappelai que j'avais perdu un volume des œuvres de

Shakespeare et que je ne l'avais pas retrouvé. Un nom de rue et un numéro de maison surgirent tout à coup, que je ne parviens – aujourd'hui encore – à mettre en relation avec aucun événement de ma vie. Puis j'eus la vision d'un motocycliste qui portait deux lièvres morts sur l'épaule, dans une rue déserte du village. Quand avais-je bien pu vivre cela? Je me souvins que j'avais trébuché en voulant éviter l'homme aux deux lièvres; en me relevant, j'avais remarqué que je tenais ma montre de poche à la main, elle indiquait huit heures, et le verre s'était brisé en tombant. J'étais sorti de chez moi avec ma montre à la main, mais sans manteau ni chapeau...

J'en étais arrivé jusque-là lorsque le souvenir des événements de la semaine passée s'abattit sur moi avec une violence indescriptible : le début, le déroulement et la fin fondirent sur moi au même moment, comme les poutres et les pierres d'une maison qui s'écroule. Je voyais les gens et les objets au milieu desquels j'avais vécu : ils étaient démesurés, fantomatiques; ils me semblaient gigantesques et effrayants, comme s'ils venaient d'un autre monde. Et je sentais quelque chose en moi qui semblait vouloir faire éclater ma poitrine : le souvenir d'un bonheur ou de la peur de le perdre, la réminiscence d'un grand désespoir et d'un désir dévorant – mais tous ces mots sont bien faibles. C'était le souvenir de quelque chose que l'on ne peut supporter ne serait-ce que l'espace d'une seconde.

Ce fut là le premier contact entre ma conscience qui s'éveillait et les terribles événements que j'avais vécus.

C'en était trop pour moi. Je m'entendis crier, et je tentai probablement de rejeter mes couvertures, car je sentis une douleur lancinante dans le bras avant de perdre connaissance, ou plus exactement, avant de chercher refuge dans un évanouissement qui représentait pour moi un salut.

Lorsque je m'éveillai pour la seconde fois, il faisait jour. Cette fois, je repris conscience sur-le-champ, sans la moindre transition. Je me trouvais dans une chambre d'hôpital, une pièce accueillante et bien aménagée, destinée manifestement à une clientèle privée ou bénéficiant pour une raison quelconque d'un traitement de faveur. Une infirmière d'un certain âge, assise près de la fenêtre, faisait du crochet et buvait de temps à autre une gorgée de café. Dans un lit, près du mur qui me faisait face, j'aperçus un homme mal rasé, aux joues creuses, la tête entourée de bandages blancs. Il me regardait fixement, de ses grands yeux tristes, et son visage exprimait une certaine inquiétude. Je crois que je me vis moi-même l'espace de quelques instants, par l'effet d'un mirage mystérieux, couché dans mon lit, blême, amaigri, mal rasé, la tête entourée de bandages. Mais il est possible que j'aie vu un inconnu, un malade qui partagea ma chambre pendant que j'étais dans le coma. Si tel fut le cas, on dut lui faire quitter la chambre dans les minutes qui suivirent sans que je m'en rendisse compte, car lorsque j'ouvris à nouveau les yeux, il n'était plus là, et son lit avait lui aussi disparu.

Je parvenais désormais à me souvenir de tout. Je voyais clairement les événements qui m'avaient conduit là, mais ils avaient pris un autre visage. Ils avaient perdu leur côté monstrueux et angoissant. Certains aspects de ce que j'avais vécu me semblaient encore déconcertants, d'autres mystérieux et inexplicables. Mais tous ces événements ne m'effrayaient pas. De même, je ne voyais plus les gens comme des fantômes à la démarche vacillante, gigantesques et terrifiants. Ils apparaissaient en plein jour, c'étaient des êtres d'ici-bas, des hommes comme moi et tous les autres, des créatures de ce monde. Ils s'intégrèrent presque insensiblement, de façon quasi naturelle, à mon existence antérieure; les jours, les gens et les choses se fondirent en elle, ils étaient devenus une partie de ma vie dont ils ne pouvaient plus être dissociés.

L'infirmière remarqua que je m'étais éveillé et se leva. Sur son visage, je lisais une bêtise empreinte de suffisance, et je fus soudain frappé, en la regardant, par sa ressemblance avec la vieille femme qui, telle une furie, s'était détachée du groupe de paysans déchaînés et avait menacé le prêtre de son couteau à pain : « Mort au curé ! » avait-elle crié. Il me sembla curieux qu'elle se trouvât dans ma chambre, silencieuse, discrète et un peu niaise, et qu'elle me soignât. Mais tandis qu'elle s'approchait, cette ressemblance se dissipa. Je m'étais trompé : lorsqu'elle fut arrivée près de mon lit, je découvris un visage qui m'était tout à fait inconnu. Je n'avais jamais vu cette femme auparavant.

Elle se rendit compte que je voulais parler et leva les mains en signe de refus – ce qui signifiait probablement que je devais me ménager, que cela me ferait du mal de parler. A cet instant, j'eus soudain une impression de déjà vu, il me sembla que, par le passé, j'avais déjà vécu tout cela : le lit, la chambre d'hôpital, l'infirmière. Bien sûr, cela aussi n'était qu'une illusion, mais la réalité qui se cachait derrière cette sensation n'en était pas moins bizarre. Dans le village de Westphalie où j'avais été médecin – je m'en souvins alors parfaitement –, j'avais été doué d'une sorte de double vue : à certains moments, j'avais pressenti avec une grande clairvoyance l'état dans lequel je me trouve maintenant. C'est la vérité, et je peux en faire le serment. Sur le sol de Westphalie, on a de tout temps observé de tels phénomènes.

« Comment suis-je arrivé ici ? » demandai-je.

L'infirmière haussa les épaules. On lui avait peut-être interdit de s'entretenir avec moi sur ce point.

« Depuis combien de temps suis-je ici ? » demandai-je ensuite.

Elle sembla réfléchir.

« Cela fait cinq semaines à présent, répondit-elle au bout d'un moment.

– C'est impossible », constatai-je, et je pensai : « Dehors, il neige, c'est toujours l'hiver. Quelques jours seulement ont dû se passer depuis qu'on m'a amené ici, quatre jours, peut-être cinq. Ce dimanche-là, le dernier que j'ai passé à Morwede, il neigeait, et il neige toujours. Pourquoi ment-elle ? »

Je la regardai droit dans les yeux.

« Ce n'est pas possible, déclarai-je. Vous ne me dites pas la vérité. »

Elle eut l'air troublé.

« Cela fait peut-être six semaines, dit-elle avec une hésitation. Je ne le sais pas exactement. Voilà cinq semaines que je suis dans cette chambre. Avant moi, il y avait une autre infirmière. Quand je suis arrivée, vous étiez déjà là.

– Quel jour sommes-nous ? » demandai-je.

Elle fit mine de ne pas comprendre.

« Quel jour de l'année ? repris-je. Quelle date ?

– Le 2 mars 1932, dit-elle enfin.

– Le 2 mars ? »

Cette fois, elle disait la vérité, c'était évident. Cette date correspondait à mes calculs. Le 25 janvier, j'avais pris mes fonctions de médecin communal à Morwede. Pendant un mois, jusqu'à ce dimanche fatal, j'avais travaillé dans ce petit village de Westphalie. J'en conclus donc que j'étais dans cet hôpital depuis cinq jours. Pourquoi me mentait-elle ? Et sur l'ordre de qui le faisait-elle ? Qui pouvait avoir intérêt à me faire croire que j'avais passé cinq semaines entières dans cette chambre d'hôpital, dans un coma profond ? Il était inutile de chercher à en savoir davantage. Lorsqu'elle se rendit compte que je n'avais plus de questions à lui poser, elle me raconta spontanément que j'avais repris conscience à plusieurs reprises. Une fois, lorsqu'elle avait laissé tomber une bassine en changeant mes pansements, j'avais demandé, sans ouvrir les yeux, qui était là. Plus tard, j'avais également réclamé plusieurs fois à boire, mais, à chaque fois, j'avais sombré à nouveau dans le sommeil. Il m'était impossible de me souvenir de tout cela.

« Rares sont ceux qui s'en souviennent après », dit-elle en retournant près de la fenêtre, à son crochet.

Je reposais sur mon lit, les yeux fermés, et je pensais à tout ce qui venait de prendre fin, définitivement. Elle était vivante, j'en étais sûr, elle était parvenue à échapper à l'issue fatale et à la vengeance, j'y croyais dur comme fer. Elle était trop forte pour périr. C'est moi qui avais été touché par la balle qui lui était destinée. Des êtres de sa nature ne périssent pas. Quoi qu'elle fasse, quelle que soit la faute dont elle se rendra coupable, elle trouvera toujours quelqu'un qui s'interposera entre elle et le châtiment du destin.

Mais je savais également que tout était fini, qu'elle ne reviendrait plus. Son chemin ne la ramènerait pas une seconde fois vers moi. Quelle importance? Elle m'avait appartenu une nuit entière, et cette nuit me restait acquise, personne ne pouvait plus me la reprendre, elle était prisonnière de ma vie comme le sombre almandin rouge dans l'éclat de granite. Cette nuit me liait à elle pour toujours. Je l'avais serrée dans mes bras, j'avais senti son souffle, les battements de son cœur et les tremblements qui parcouraient ses membres, j'avais vu son sourire enfantin quand elle s'était réveillée. Et tout cela était vraiment fini? Non. Ce qu'une femme offre au cours d'une nuit sans limite comme celle-là, elle l'offre à jamais. Peut-être appartenait-elle désormais à un autre, mais cette idée ne suscitait en moi aucune tristesse. Adieu, Bibiche!

« Bibiche », c'est le nom qu'elle se donnait quand elle parlait avec elle-même. « Pauvre Bibiche! » J'ai entendu bien souvent dans sa bouche ces mots tendres et plaintifs. « Vous m'en voulez, et je ne sais pas pourquoi.

Pauvre Bibiche! » Elle avait écrit ces mots sur un bout de papier que m'avait apporté un petit garçon. Il y a combien de temps de cela? Et un jour – nous nous connaissions à peine, elle cherchait à me faire croire à cette époque que je lui étais indifférent –, elle s'était brûlé la main avec une goutte d'un acide quelconque. « Cela fait mal! Tu n'es pas gentille avec Bibiche! » s'était-elle lamentée en contemplant son petit doigt, l'air surpris et triste. Et comme je m'étais moqué de ses paroles, elle m'avait lancé un regard froid et désapprobateur.

Tout cela était bien fini, désormais. Je ne devais plus jamais revoir ce regard. Tout était terminé depuis la nuit où...

J'entendis des pas, j'ouvris les yeux : le médecin-chef et ses deux assistants se trouvaient à côté de mon lit, et derrière eux, un homme à la stature herculéenne, en blouse de coutil à rayures blanches et bleues, entra dans la pièce en poussant devant lui un guéridon.

Lorsque je le regardai, je le reconnus immédiatement, son déguisement ne pouvait en aucune manière m'abuser. Le corps puissant, le menton fuyant, les yeux bleus, profondément enfoncés, étaient ceux du prince Praxatine, le dernier descendant de la famille Rurik. Je ne pouvais voir la cicatrice de sa lèvre supérieure, car il s'était laissé pousser la moustache; ses cheveux blonds n'étaient plus tirés en arrière, ils lui tombaient sur le front, et ses mains étaient brunâtres et d'un aspect négligé. Etait-ce lui, oui ou non? Ou c'était bien lui, il n'y avait aucun doute. C'est la façon dont il cherchait à éviter mon regard qui m'en apportait la preuve. Il avait trouvé refuge ici, il s'était mis à l'abri, il se faisait passer pour un aide-soignant sous un nom d'emprunt, il ne voulait pas qu'on le reconnût. Il n'avait rien à craindre de moi, il pouvait tranquillement mener sa vie pitoyable si sa conscience le lui permettait, je n'avais pas l'intention de le trahir.

« Vous êtes réveillé? Bonjour! fit la voix du médecin-chef. Comment vous sentez-vous? Vous allez mieux? Ressentez-vous des douleurs? »

Je ne répondis pas. Mes yeux ne quittaient pas le prince Praxatine, mon regard le rendait nerveux. Je vis alors ce qui m'avait échappé jusque-là : une cicatrice rouge qui partait de derrière son oreille droite et finissait près du menton – vestige de la nuit au cours de laquelle il avait trahi son ami et bienfaiteur.

« Savez-vous où vous êtes? » me demanda le médecin-chef.

Je le regardai dans les yeux. C'était un homme d'une cinquantaine d'années, au regard vif et qui portait une barbe poivre et sel. Il voulait manifestement vérifier si je souffrais toujours de troubles de la conscience.

« Je suis dans un hôpital, répondis-je.

– Parfaitement, confirma-t-il. A Osnabrück, à l'hôpital communal. »

L'un des deux assistants se pencha sur moi.

« Me reconnais-tu, Amberg? me demanda-t-il.

– Non, dis-je. Qui êtes-vous? Qui es-tu?

– Mais voyons, tu dois me reconnaître, s'écria-t-il. Réfléchis un peu. Nous avons travaillé ensemble pendant tout un semestre à l'Institut bactériologique de Berlin. Ai-je donc tant changé?

– Vous êtes le docteur Friebe? demandai-je d'une voix hésitante.

– A la bonne heure! Finalement, tu m'as tout de même reconnu », constata-t-il avec satisfaction, avant de commencer à défaire les pansements de mon bras et de mon épaule.

Ce docteur Friebe avait été mon collègue à l'Institut bactériologique de Berlin. Il la connaissait aussi. Je brûlais de l'entendre prononcer son nom, mais une vague intuition m'empêcha de parler d'elle ou de demander de ses nouvelles.

« Avez-vous opéré? demandai-je.

– Comment ? fit-il, l'air distrait.

– Est-ce qu'il a fallu extraire la balle ? »

Il ouvrit de grands yeux.

« De quelle balle veux-tu parler ? Tu as une déchirure musculaire ainsi que des contusions au bras et à l'épaule. »

Je me mis en colère.

« Un déchirement musculaire et des contusions ? m'écriai-je. Mais c'est absurde. La blessure au bras vient d'un coup de revolver, et celle de l'épaule est due à un coup de couteau. N'importe qui est capable de voir cela. Et d'ailleurs...

– Dites donc, qu'est-ce que vous vous imaginez ? Les agents de police ne pourchassent pas à coups de revolver et de couteau les piétons qui ne respectent pas leurs instructions. »

Je l'interrompis :

« Mais de quoi parlez-vous, au juste ?

– Essayez de vous souvenir, reprit-il. Il y a exactement cinq semaines, jour pour jour, vous vous trouviez sur la place de la gare, ici à Osnabrück, vers deux heures de l'après-midi, à l'heure de pointe, et vous regardiez dans le vide, comme hypnotisé. L'agent de police vous invectivait, les automobilistes vous injuriaient, mais vous n'entendiez rien, vous ne bougiez pas d'un pouce...

– C'est exact, dis-je. J'ai vu une Cadillac verte.

– Dieu du ciel ! s'exclama le médecin-chef. C'est vrai : il n'y a qu'une seule Cadillac verte, ici, à Osnabrück. Mais pour vous qui venez de Berlin, cela ne devrait pas être une chose si extraordinaire. Vous avez certainement très souvent l'occasion de voir des voitures de cette marque.

– Oui, mais cette Cadillac-là... »

Il m'interrompit :

« Eh bien, que s'est-il passé ensuite ?

– J'ai traversé la place pour me rendre à la gare, j'ai pris un billet et je suis monté dans le train.

– Non, dit le médecin-chef. Vous n'êtes pas arrivé jusqu'à la gare. Vous avez couru droit sur une voiture et vous avez été renversé. Fracture des vertèbres cervicales, hémorragie cérébrale, voilà l'état dans lequel on vous a transporté ici. Vous étiez fort mal en point, les choses auraient pu très mal se terminer. Mais maintenant, vous êtes hors de danger. »

Je tentai de lire ses pensées sur son visage. Il ne pouvait parler sérieusement, c'était pure folie. J'étais monté dans le train, et j'avais lu deux journaux et un magazine avant de m'endormir. Je m'étais réveillé lorsque le train s'était arrêté à Münster et j'avais acheté des cigarettes sur le quai. A cinq heures, la nuit commençait à tomber, j'étais arrivé à Rhéda d'où j'avais poursuivi mon voyage en traîneau.

« Excusez-moi, dis-je humblement. Cette blessure à la tête a été provoquée par un objet contondant. C'était un coup de fléau.

– Comment? s'écria-t-il. Pouvez-vous me dire où l'on utilise encore des fléaux? A la campagne, tout le monde travaille avec des machines. »

Que répondre à cela? Il ne pouvait pas savoir qu'il n'y avait pas de machines sur les terres du baron von Malchin, que le blé y était semé, coupé et battu exactement comme on le faisait il y a cent ans.

« A l'endroit où je me trouvais il y a cinq jours encore, on utilisait des fléaux », dis-je enfin.

Il se tourna vers l'infirmière.

« Là où vous vous trouviez il y a cinq jours encore? répéta-t-il d'une voix traînante. Vraiment? Dans ce cas, vous devez avoir raison. On vous a donc frappé avec un fléau. Parfait. N'y pensez plus. Il vaut mieux oublier au plus vite ces mauvais souvenirs. Essayez de mettre vos pensées entre parenthèses, vous avez besoin de repos. Plus tard, vous me raconterez tout. » Il se tourna à nouveau vers l'infirmière : « Biscuits, thé au lait et légumes à l'eau », indiqua-t-il avant de s'en aller, suivi de ses deux assistants.

Le dernier à quitter la pièce, poussant devant lui le guéridon, fut le prince Praxatine. Il me jeta un regard dérobé plein de crainte.

Que s'était-il passé ? Qu'est-ce que cela pouvait bien signifier ? Le médecin-chef voulait-il me jouer la comédie, ou bien croyait-il vraiment à cet accident de voiture ? Les événements ne s'étaient pourtant pas déroulés ainsi, il devait bien le savoir, les choses s'étaient passées d'une façon toute différente.

CHAPITRE DEUXIÈME

JE m'appelle Georg Friedrich Amberg, et je suis docteur en médecine. C'est par ces mots que commencera le récit des événements de Morwede que je rédigerai un jour, dès que j'en serai physiquement capable. Il se passera encore un certain temps d'ici là. Je ne peux pas me procurer un stylo et du papier puisque je dois me reposer, mettre mes pensées entre parenthèses, et que mon bras blessé refuse de fonctionner. Je ne peux rien faire d'autre que graver dans ma mémoire, dans leurs moindres détails, les événements qui se sont produits, je dois les retenir afin que rien ne se perde, même ceux qui peuvent paraître insignifiants, voilà tout ce que je puis faire pour le moment.

Mon récit devra remonter loin dans le temps. J'ai perdu ma mère quelques mois après ma naissance. Mon père était un historien renommé, spécialiste de l'histoire de l'Allemagne jusqu'à l'interrègne. Dans les dernières années de sa vie, il assurait des cours dans une université du centre de l'Allemagne sur la *Wehrverfassung*[1] à la fin du XIIIe siècle, sur la signification et l'importance du *feodum soli* et sur les réformes administratives de Frédéric II. Quand il mourut, j'avais quatorze ans. Tout ce qu'il me laissa fut une collection de livres, certes impo-

1. Ensemble des lois et des prescriptions régissant les armées.

sante, mais très spécialisée : à part les classiques de la littérature, elle ne contenait en effet que des livres d'histoire. Une partie de ces ouvrages est encore en ma possession aujourd'hui.

Une sœur de ma mère me recueillit. C'était une femme d'une sévérité maniaque, peu loquace, austère, et qui ne se livrait que rarement. Nous n'avions pas grand-chose à nous dire. Pourtant, je lui serai reconnaissant ma vie durant. Certes, elle n'eut jamais pour moi un mot gentil, mais elle sut gérer ses maigres ressources de façon à me permettre de poursuivre des études. Encore enfant, j'avais fait preuve d'un intérêt passionné pour le domaine d'études de mon père, il n'y avait pratiquement aucun livre de sa bibliothèque que je n'eusse lu plusieurs fois. Mais quand, peu avant mon baccalauréat, je fis part à ma tante de mon intention d'entreprendre des études d'histoire, c'est-à-dire d'embrasser la carrière universitaire, elle s'y opposa résolument. Son esprit austère considérait la recherche historique comme quelque chose d'imprécis, de superflu, en marge du monde et de la vie. Je devais, selon elle, exercer un métier pratique, choisir un terrain solide, comme elle disait, autrement dit devenir médecin ou juriste.

Je m'en défendis, et nous eûmes de violentes disputes. Un jour, ma tante, maniaque comme elle l'était, prit un papier et un crayon et fit devant moi le compte des sacrifices qu'elle s'était imposés des années durant pour me permettre de poursuivre mes études. Je cédai finalement – que pouvais-je faire d'autre ? Elle s'était effectivement infligé des privations pour moi, elle ne voulait que mon bien, je ne devais pas la décevoir. C'est ainsi que je m'inscrivis à la faculté de médecine.

Six ans plus tard, j'étais devenu médecin, un médecin doté de connaissances et d'un savoir-faire moyens, comme il en existe beaucoup, avec un an d'expérience hospitalière, un médecin sans patients, sans argent, sans relations et, ce qui est plus grave, sans vocation particulière pour son métier.

Durant la dernière année de mes études, sous l'influence d'une expérience sur laquelle je reviendrai plus tard, j'avais pris certaines habitudes qu'à vrai dire, je n'aurais jamais dû me permettre. J'avais coutume de me rendre dans tous les lieux où se retrouvait le grand monde. Bien que relativement modeste, mon nouveau mode de vie exigeait tout de même des dépenses accrues, et même les revenus tirés des cours particuliers que je donnais à l'occasion ne suffisaient pas à y subvenir. Je me voyais donc assez souvent dans l'obligation de vendre des livres précieux pris dans la bibliothèque de mon père. Cette année-là, dans les premiers jours de janvier, je me trouvai une fois de plus à court d'argent : j'étais accablé de petites dettes. Parmi les livres de mon père se trouvaient les œuvres de Shakespeare et de Molière, les dernières éditions de classiques qui me restassent. Je les portai à l'un de mes amis, marchand de livres anciens.

Il les prit et me proposa une somme que je jugeai convenable. J'étais sur le point de partir lorsqu'il me rappela pour me faire remarquer que l'édition de Shakespeare était incomplète. Il manquait le tome qui contenait les sonnets et le *Conte d'hiver*. Sur le moment, je fus consterné. Il n'était pas chez moi, j'en étais sûr. Mais ensuite, je me souvins que je l'avais prêté quelques mois plus tôt à un collègue. Je priai le marchand de bien vouloir prendre patience jusqu'à l'après-midi, et je partis récupérer le livre.

Lorsque j'arrivai, mon collègue n'était pas chez lui. Je décidai donc de l'attendre. Par désœuvrement, je me plongeai dans la lecture du journal du matin qui se trouvait sur la table.

Se replonger dans les minutes qui ont précédé un événement décisif ne manque pas d'un certain charme – se demander : qu'est-ce qui te préoccupait à cet instant-là? Où allaient tes pensées à un moment où tu te trouvais à un tournant de ta vie? Eh bien, j'étais assis dans une pièce mal chauffée et j'avais froid avec mon léger pardessus – en effet, je ne possédais pas de manteau d'hiver. Sans y accorder une attention particulière, juste pour passer le temps, je lus un reportage sur l'arrestation d'un saboteur de chemins de fer, un article intitulé « Les vertus nutritives du café » et une étude sur la gymnastique. J'en voulais beaucoup à mon collègue, je trouvais assez désinvolte de sa part de ne pas m'avoir rendu le livre plus tôt, et en outre, j'étais irrité par une grosse tache de graisse au milieu de la page du journal : mon collègue l'avait vraisemblablement lu en prenant son petit-déjeuner, et sa tartine beurrée était entrée en contact avec le journal.

L'événement qui se produisit alors se manifesta d'une façon tout à fait banale, presque insignifiante. Mon regard tomba sur une annonce, rien de plus.

L'administration du domaine du baron von Malchin, à Morwede, canton de Rhéda, Westphalie, faisait savoir qu'elle proposait un poste de médecin communal. Un revenu annuel minimum était assuré, de même qu'un logement et le chauffage gratuits. Priorité serait donnée aux candidats ayant une bonne culture générale.

Sur le moment, je ne pensai pas un instant avoir les qualités requises pour cet emploi. C'est le nom du maître du domaine qui attira mon attention. « Baron von Malchin und von der Bork », dis-je tout haut, et je remarquai que le simple nom de « Malchin » m'avait rappelé le patronyme complet et le titre. Ce nom m'était familier. Mais où l'avais-je déjà vu ou entendu?

Je me mis à réfléchir. Ma mémoire emprunte parfois des voies bien étranges. Une mélodie me passa par la tête, une vieille chanson que j'avais oubliée depuis de nombreuses années. Je la fredonnai à mi-voix, plusieurs fois de suite, et la pièce lambrissée de chêne et le bureau chargé de livres m'apparurent alors : je me vis assis au piano, jouant cette mélodie. Tout à coup, des paroles fort banales me revinrent en mémoire : « Si je n'ai que ton amour... » C'est ainsi que commençait la chanson. Mon père faisait les cent pas dans la pièce, les mains croisées dans le dos, comme à son habitude. Dehors, dans le jardin, on entendait le gazouillis d'un pinson. Je continuais à jouer. La chanson se poursuivait par les mots : « Je ne veux que ta fidélité. »

« Le baron von Malchin und von der Bork », annonça alors une voix.

Mon père s'arrêta et dit :

« Faites-le entrer. »

Je me levai pour quitter la pièce, comme toujours lorsque mon père recevait de la visite.

Bien plus tard seulement, je m'avisai que ce visiteur et le châtelain de Morwede pouvaient être éventuellement deux personnes différentes et qu'il existait peut-être plusieurs individus qui portaient ce nom. Je relus l'annonce, puis je m'assis au bureau pour rédiger ma lettre de candidature. J'évoquai rapidement mon père, j'exposai les événements de ma vie qui pouvaient avoir un intérêt pour un étranger et je donnai quelques indications sur les études que j'avais suivies.

Je n'attendis pas le retour de mon collègue. Je lui laissai un mot dans lequel je le priais de me restituer immédiatement le livre. Puis je me rendis à la poste pour envoyer ma lettre.

La réponse n'arriva que dix jours plus tard, mais elle correspondait parfaitement à mon attente. Le baron von Malchin m'écrivait qu'il s'honorait d'avoir connu mon père personnellement, qu'il était heureux de pouvoir rendre service au fils de ce savant qu'il tenait en très haute estime et qui, disait-il, avait malheureusement disparu trop tôt. Il me demandait de lui faire savoir si je pouvais entrer en fonction avant la fin du mois et m'indiquait que je devais passer par Osnabrück et Münster, qu'une voiture m'attendrait à la gare de Rhéda. Il restait encore quelques formalités à remplir : je devais adresser à la commune mon diplôme de médecin de même que mon certificat de fin de stage.

Lorsque j'informai ma tante que j'allais quitter Berlin avant la fin du mois pour prendre un poste à la campagne, elle prit connaissance de cette nouvelle comme d'une chose naturelle à laquelle elle s'attendait depuis longtemps. Ce soir-là, nous ne parlâmes que des dépenses que ce départ allait entraîner. Il me fallait en effet compléter ma garde-robe, je devais me procurer les instruments chirurgicaux et obstétriques indispensables, ainsi qu'une réserve de médicaments. Nous possédions encore des bijoux qui avaient appartenu à ma mère : une bague sertie d'une émeraude, deux bracelets et des perles montées en boucles d'oreilles. Nous vendîmes le tout. Mais la somme que nous rapporta cette vente resta bien en deçà de nos espérances. Il me fallut donc vendre, la mort dans l'âme, une grande partie des livres de mon père.

Le 25 janvier, ma tante m'accompagna à la gare. Elle voulut absolument payer de sa poche mes provisions de bouche. Lorsque je pris congé d'elle, sur le quai, et que je la remerciai pour tout, je vis pour la première fois quelque chose qui ressemblait à de l'émotion se peindre sur son visage. Je crois même qu'elle avait les larmes aux yeux. Lorsque je montai dans le train, elle tourna brusquement les talons et quitta la gare sans se retourner. Elle était ainsi.

Vers midi, j'arrivai à Osnabrück.

CHAPITRE TROISIÈME

J'AVAIS une heure et demie de battement. J'en profitai pour aller faire une promenade en ville. Il existe à Osnabrück une vieille place appelée « place franche de la cathédrale » et une tour fortifiée datant du début du XIVe siècle dénommée « l'obéissance civique ». Ces deux noms, si opposés en apparence, me semblaient avoir un rapport entre eux. Ils avaient éveillé ma curiosité, et je pris donc le chemin de la vieille ville. Mais le hasard voulut que je ne voie ni la place ni la tour.

S'agissait-il vraiment du hasard? J'ai entendu dire qu'il est possible de mettre en mouvement et de diriger des bateaux se trouvant à des milles de distance grâce à des ondes électriques. Quelle est la force inconnue qui me guida ce jour-là, au point que j'en oubliai ce que je cherchais et que je parcourus les ruelles tortueuses de la vieille ville, comme si je poursuivais toujours un but précis, pour m'engager enfin sous un porche – il s'agissait en réalité d'un passage qui me conduisit à une petite place au centre de laquelle se dressait la statue d'un saint? Sur le pourtour de la place, des charcutiers et des vendeurs de fruits et légumes avaient installé leurs échoppes. Je traversai la place, gravis un escalier, et m'engageai dans une ruelle pour m'arrêter finalement devant un magasin d'antiquités. Je crus contempler une vitrine, mais en réalité, je regardais l'avenir. Aujourd'hui encore, je ne parviens pas à m'expliquer comment une volonté inconnue me permit ce jour-là de jeter un regard dans le futur.

Le hasard, certes, rien que le hasard. Je n'ai pas tendance à faire appel au surnaturel pour expliquer des événements simples, je refuse même par principe de donner ainsi aux choses une importance qui ne leur convient pas. Je m'en tiens aux faits réels. Il y avait certainement beaucoup d'antiquaires dans cette ville, et je m'étais arrêté devant le premier qui s'était trouvé sur mon chemin. Parmi toutes les vieilleries exposées là – des verres, des pièces de monnaie romaines en cuivre, des sculptures en bois et de petits personnages de porcelaine –, ce fut un bas-relief de marbre qui attira mon attention. Ce fait n'a rien d'étonnant, car je ne pouvais qu'être frappé par ses seules dimensions. Il s'agissait d'une tête d'homme, copie d'une œuvre d'art médiévale, une tête à l'expression téméraire, sauvage presque, et pourtant altière. La bouche lui donnait un sourire figé et l'air absent, si caractéristique des sculptures gothiques. Mais je savais que ce n'était pas la première fois que je voyais ce visage démesurément allongé, raviné par les passions, au front puissant, mais noble. Je l'avais déjà vu quelque part, peut-être dans un livre, ou bien je l'avais trouvé sur un camée ancien, mais je n'arrivais pas à me souvenir de l'homme à qui appartenait ce visage, et plus j'y songeais, plus j'étais saisi d'inquiétude. Je savais que ces traits impressionnants ne me laisseraient plus en paix, qu'ils me poursuivraient jusque dans mes rêves. Cette sculpture m'inspira soudain une terreur puérile, je ne voulus pas la regarder plus longtemps et je me détournai.

C'est alors que mon regard effleura une pile de brochures et de livres empoussiérés, maintenus par une ficelle. Je parvins à lire le titre de l'ouvrage qui se trouvait au-dessus. Il s'intitulait : *Pourquoi la foi en Dieu disparaît-elle de la surface de la terre?* Quelle étrange question! Je me demandai même dans quelle mesure on pouvait la poser en ces termes et à quelles conclusions l'auteur avait bien pu arriver. Quelle réponse banale réservait-il à ses lecteurs? Qui rendait-il responsable? La science? La technique? Le socialisme? Ou peut-être même l'Eglise?

Bien que tout cela ne fût en fait que de peu d'importance, je fus incapable de détourner mon esprit de ce livre et de la question que soulevait son titre. Je me trouvais dans un état de nervosité inhabituel. La peur du nouveau cadre de vie qui m'attendait, de la vie à la campagne et d'une mission qui me semblait dépasser mes compétences, cette peur était peut-être ce qui me poussait à me distraire. Il fallait soudain absolument que je sache pourquoi la foi en Dieu disparaissait de la surface de la terre, et il fallait que je le sache sur-le-champ. J'étais comme poursuivi par ce désir oppressant. Je voulus entrer dans la boutique pour acheter ce livre, j'étais même prêt à acquérir tout le lot de livres et de brochures si le propriétaire avait refusé de me vendre cet unique volume. Mais je n'en eus pas le loisir, car je trouvai porte close.

C'était l'heure du déjeuner, je n'y avais pas songé. Le propriétaire de la boutique était rentré chez lui pour prendre son repas. Je commençais moi aussi à avoir faim, et j'étais de plus en plus de méchante humeur. Devais-je rester planté là, à attendre que ce brocanteur veuille bien rouvrir sa boutique, et risquer éventuellement de rater mon train? Qu'est-ce qui m'avait donc poussé à aller en ville? J'aurais mieux fait de rester à la gare et d'y déjeuner en toute tranquillité. Je me serais ainsi épargné tous ces désagréments. Bien sûr, le propriétaire de la boutique pouvait revenir à tout moment, il habitait vraisemblablement dans le quartier, dans l'un de ces immeubles mal aérés, aux façades gris sale percées de fenêtres opaques. Il était sûrement assis derrière l'une de ces fenêtres et prenait son repas à la hâte. Mais il y avait une autre possibilité : il n'avait peut-être même pas quitté sa boutique, il se trouvait peut-être dans une pièce attenante et avait simplement fermé la porte pour ne pas être dérangé pendant son repas.

J'aperçus un cordon de sonnette près de la porte et sonnai. Mais personne ne vint m'ouvrir.

« Il est donc en train de faire la sieste », me dis-je, furieux, et je m'imaginais parfaitement ce brocanteur : c'était un vieil homme chauve, avec une barbe grise de deux jours; il était allongé sur un canapé et ronflait. Il avait tiré la couverture jusque sous son menton, et son chapeau gras était accroché au clou, près de la porte. « Il dort, et moi, je devrais attendre qu'il se réveille ? Il n'en est pas question. Faut-il qu'il s'absente de sa boutique précisément à l'heure où viennent les étrangers ! C'est à croire qu'il ne tient pas particulièrement à vendre son bric-à-brac. Soit. Je peux fort bien me passer de ce livre. »

Avant de partir, je jetai encore un regard furtif et inquiet vers le bas-relief gothique, comme si je faisais quelque chose d'interdit.

Lorsque je fus arrivé au passage, je me dis subitement que je pouvais également écrire à ce brocanteur et le prier de m'envoyer le livre par la poste. Je retournai donc sur mes pas en toute hâte, car il ne me restait plus beaucoup de temps. La boutique était toujours fermée, mais je notai le nom de la rue, le numéro et le nom du propriétaire.

Il se nommait Gerson, et le livre se trouve probablement toujours dans sa vitrine, car je ne l'ai pas commandé. J'aurais pu m'épargner la peine de retourner sur mes pas. Mais je ne pouvais pas me douter alors que j'allais trouver à Morwede la réponse aux deux questions qui m'obsédaient : je devais y apprendre pourquoi la foi en Dieu disparaît de la surface de la terre et qui étaient les deux hommes – l'un vivant, l'autre mort – à qui appartenaient les traits de la sculpture de marbre.

Dix minutes avant le départ de mon train, je me trouvais sur la place de la gare. C'est là que je croisai de façon tout à fait inattendue la Cadillac verte. Pour tout dire, elle arriva sur ma droite pendant que j'attendais que l'agent de la circulation me fît signe de passer. Une femme était au volant, et cette femme, je la connaissais.

CHAPITRE QUATRIÈME

MAINTENANT, alors que je me trouve dans cette chambre d'hôpital, que mon bras droit repose, comme endormi ou engourdi, sur la couverture et que mon regard cherche à se fixer sur les traits, les dentelures et les étoiles du papier peint, maintenant, en cet instant parfaitement anodin, je sens mon cœur qui bat et ma respiration qui devient haletante, simplement parce que je pense à Bibiche. Mais ce jour-là, sur la place de la gare, j'étais très calme, j'étais même surpris de pouvoir rester si détendu. Je crois que je ressentis cette rencontre comme une chose naturelle qui n'avait rien de bizarre; je m'étonnai simplement qu'elle fût intervenue si tard, au dernier instant.

Pendant un an, à Berlin, j'avais cherché en vain la femme qui se trouvait au volant de cette Cadillac verte. Au moment où je partais pour commencer une autre vie – une vie dont je n'attendais que peu de chose, pas même un espoir, une vie que je voyais devant moi, monotone, grise et triste –, la ville que je quittais comme on quitte une maîtresse sans cœur et égoïste, cette ville au visage dur et plein d'animosité me montrait pour la première fois un sourire aimable : « Voilà le cadeau que je te fais, me lançait-elle. Tu vois, je pense à toi. Et toi, tu voudrais t'en aller? » Devais-je revenir sur mes pas et rester? Etait-ce là le sens de cette rencontre? Si tel était le cas, elle se produisit trop tard. Ou bien ne s'agissait-il que d'un ultime salut adressé par l'univers que je quittais, un adieu moqueur, comme un dernier signe de la main, fugitif, qu'on vous adresse depuis l'autre rive?

Ni l'un ni l'autre. C'étaient tout à la fois des retrouvailles et le prélude à autre chose. Mais ce jour-là, je n'osai y penser.

Au début, à l'Institut bactériologique, on savait simplement qu'elle s'appelait Kallisto Tsanaris et qu'elle faisait des études de chimie physiologique. Les renseignements que nous pûmes nous procurer au fil du temps restèrent bien maigres : elle avait quitté Athènes à l'âge de douze ans et habitait avec sa mère, qui semblait souffrante, une villa du quartier du Tiergarten. Elle fréquentait exclusivement les milieux les plus huppés. Son père, qui avait été colonel de l'armée grecque et aide de camp du roi, était mort.

C'était là tout ce que nous savions, et nous dûmes nous en contenter, car Kallisto Tsanaris ne parlait à aucun d'entre nous de sa vie privée. Elle avait l'art de mettre une certaine distance entre elle et tous les autres, et quand, par extraordinaire, une brève conversation s'instaurait, elle concernait exclusivement des problèmes pratiques, comme par exemple un bec Bunzen hors d'usage ou la question de savoir s'il était souhaitable d'acquérir un deuxième stérilisateur à haute pression.

Lors de sa première apparition à l'institut, cette étudiante grecque avait fait grande impression : chacun d'entre nous essaya de se faire remarquer d'elle. Elle fut l'objet de toutes les attentions, on la questionna sur le but de ses recherches scientifiques, on lui proposa aide et conseil. Plus tard, quand il s'avéra qu'elle répondait à toutes les manœuvres d'approche avec une égale froideur, l'intérêt décrut, sans pourtant complètement disparaître. On dit qu'elle était prétentieuse et arrogante, capricieuse et calculatrice, et, bien sûr, qu'elle était stupide. « Nous les universitaires, disions-nous, nous ne comptons pas pour elle. Pour qu'elle vous remarque, il faut au moins posséder une Mercedes. » En effet, son aversion pour toute forme de relation amicale semblait se limiter au seul laboratoire. Le soir, quand elle quittait l'institut, il y avait toujours un chevalier-servant qui l'attendait et l'aidait à monter dans sa voiture. Nous avions appris à identifier ses différents soupirants : nous avions donné un surnom caractéristique à chacun de ces messieurs, heureux propriétaires d'une voiture personnelle. Nous avions remarqué, par exemple, qu'un soir, c'était le Patriarche Abraham qui était venu la chercher, ou bien qu'elle avait été aperçue avec le Satyre goguenard dans une loge, à l'opéra. Le Patriarche Abraham était un vénérable monsieur à la barbe blanche et aux traits fortement sémitiques, le Satyre goguenard, un très jeune homme au visage de jouisseur perpétuellement aimable. Il y avait également le Brasseur mexicain, le Giboyeur et le Prince kalmouk. Un jour qu'elle avait pris du retard dans ses travaux, le Giboyeur se présenta au laboratoire pour demander de ses nouvelles. Nous savions qu'elle se trouvait au vestiaire, et pourtant, nous traitâmes le Giboyeur comme un intrus indésirable : nous lui signifiâmes d'un ton sévère que l'entrée du laboratoire était interdite à toute personne étrangère à l'institut, en le priant d'aller attendre dehors.

Vers la fin du semestre, j'avais été malade pendant quelques jours et avais dû rester chez moi. Lorsque je retournai à l'institut, Kallisto Tsanaris n'était plus là. Elle avait terminé ses travaux. On me raconta qu'elle avait pris congé personnellement de chacun de ses collègues et également demandé de mes nouvelles. De ses projets, elle n'avait parlé qu'en termes très vagues. On affirmait cependant à l'institut qu'elle avait abandonné ses études et allait se marier très prochainement avec le Prince kalmouk. Mais je ne pouvais y croire, car elle avait fait preuve dans ses recherches d'un zèle tout particulier et d'un amour-propre tout à fait inhabituel, presque maladif, et puis, cela faisait deux mois que je n'avais pas vu ce monsieur que nous appelions le Prince kalmouk attendre devant l'institut. Lui et son élégante Hispano semblaient être tombés en disgrâce.

Pendant six mois entiers, j'avais travaillé avec elle du matin jusqu'en fin d'après-midi dans la même pièce. Durant cette période, me semble-t-il, je n'échangeai pas plus de dix mots avec elle, si l'on ne tient pas compte des formules de politesse en arrivant et en partant.

Au début, j'étais persuadé qu'elle ferait très rapidement sa réapparition au laboratoire pour entreprendre de nouveaux travaux. Je n'arrivais pas à croire que la période durant laquelle j'avais eu la possibilité de la voir quotidiennement, d'entendre sa voix, de suivre du regard sa démarche et d'observer ses mouvements, était révolue. Ce n'est que bien des semaines plus tard, après une vaine attente, que je décidai de me mettre à sa recherche.

Il existe probablement des méthodes scientifiques et éprouvées pour retrouver quelqu'un à Berlin, repérer son appartement et connaître ses habitudes. Une agence de détectives aurait certainement résolu ce problème en quelques jours. Mais moi, je devais m'y prendre autrement. Il fallait que je rencontre Kallisto Tsanaris par hasard, ou du moins, qu'elle eût cette impression.

Le soir, je parcourais les salles de restaurants huppés dont j'avais jusque-là ignoré jusqu'au nom. Quand on pénètre dans un restaurant où l'on n'a pas l'intention de s'attarder, on a presque toujours d'entrée le sentiment de se faire remarquer ou de susciter la méfiance. La plupart du temps, je faisais semblant de chercher une table libre ou d'avoir un rendez-vous avec un ami. Aux serveurs que je croisais, je disais un nom quelconque que j'inventais. Je leur demandais par exemple si M. le Consul Stockström ou M. l'Assesseur Bauschlot se trouvaient dans la salle, et je quittais l'endroit, l'air mécontent, lorsqu'on m'indiquait qu'on était navré de ne pas connaître ce monsieur. Mais parfois, je restais et je commandais quelque chose. En de telles occasions, il arrivait qu'un serveur me surprenne en me disant que M. le Consul Stockström – un grand monsieur, mince, portant des lunettes et coiffé avec une raie sur le côté – venait juste de partir.

Je cherchais Bibiche parmi les couples de danseurs, dans les thés organisés par les grands hôtels; lors des soirées de gala, je restais devant le théâtre à observer l'arrivée des voitures; j'étais présent aux vernissages des expositions ou aux avant-premières de films. Je me procurai non sans difficulté une invitation pour une réception à l'ambassade de Grèce. C'est lorsque je ne l'y trouvai pas que le découragement s'empara de moi pour la première fois.

Je me souvins qu'un jour, l'un de mes collègues avait vu Bibiche dans un certain bar. Je me mis donc à le fréquenter régulièrement. Soir après soir, j'y passais des heures, assis devant un cocktail, sans quitter l'entrée des yeux. Au début, je ressentais un léger frisson d'espoir chaque fois que la porte s'ouvrait, mais par la suite, je ne levais même plus les yeux; sans m'en rendre compte, je m'étais habitué à ne voir entrer que des gens sans intérêt et qui m'étaient totalement indifférents.

Le résultat de mes recherches était plus que médiocre : j'avais appris une foule de musiques de danse et je connaissais le titre de la plupart des nouvelles pièces de théâtre, mais je n'avais toujours pas retrouvé Bibiche.

Un jour, je rencontrai le Giboyeur. Il était assis dans une taverne, seul à une table, fumant un gros cigare tandis que son regard se perdait dans le vide. Il me sembla qu'il avait considérablement vieilli. En le voyant ainsi, tout seul, j'eus la conviction que lui aussi avait perdu Bibiche de vue et qu'il parcourait Berlin dans tous les sens avec son roadster, toujours inquiet, toujours en quête. Je conçus soudain de la sympathie pour cet homme avec lequel j'avais voulu me battre par le passé. Nous étions des compagnons d'infortune. Je faillis même me lever pour aller lui serrer la main. Mais il ne me reconnut pas et mon regard inquisiteur sembla l'importuner. Il changea de place et s'assit de telle façon qu'il ne me fut plus possible de voir son visage. Puis il sortit un journal de sa poche et se mit à lire.

Je cherchai Bibiche jusqu'au dernier jour. Bizarrement, l'idée qu'elle pouvait avoir quitté Berlin ne me vint qu'au moment où je me retrouvai moi-même devant le guichet de la gare en train d'acheter mon billet pour Osnabrück.

Et c'est là, à Osnabrück, sur la place de la gare, que je la vis. La Cadillac verte qu'elle conduisait s'arrêta à moins de dix pas de moi. Bibiche portait un manteau de phoque et un béret basque gris.

A ce moment-là, j'étais heureux, tout à fait heureux. Je ne souhaitais même pas qu'elle me vît. Il me suffisait de savoir qu'elle était là et de la voir. Elle ajusta son béret basque et jeta un mégot par la portière. Puis la voiture redémarra.

C'est en la voyant s'éloigner que je compris enfin, lentement d'abord, puis de plus en plus vite, que je devais faire quelque chose, que je devais sauter dans un taxi et la suivre, non pour lui parler, mais simplement pour ne pas la perdre de vue. Je voulais savoir où elle allait, où elle habitait. Or en même temps, je me souvins que j'avais pris des engagements et que je ne pouvais plus disposer de mon temps comme auparavant. Mon train partait quelques minutes plus tard; à la gare de Rhéda, une voiture m'attendait. « Quelle importance! s'écria une voix au fond de moi. Il faut que tu la suives. »

Mais il était déjà trop tard, la voiture verte avait disparu dans l'une des larges avenues qui menaient au centre-ville.

« Adieu, Bibiche, dis-je doucement. Je viens de te perdre pour la seconde fois. Le destin m'a donné une chance, et je n'ai pas su la saisir. Le destin ? Pourquoi le destin ? C'est Dieu qui t'a envoyée sur mon chemin, Bibiche, et non le destin. Pourquoi la foi en Dieu disparaît-elle de la surface de la terre ? »

Cette idée me traversa l'esprit, et l'espace d'un éclair, je vis le visage de marbre, figé, de la vitrine du magasin d'antiquités.

Je sursautai tout à coup et me mis à regarder autour de moi. Je me trouvais au milieu de la place, assailli par un bruit infernal, les chauffeurs de taxi m'insultaient, un motocycliste sauta de sa moto à quelques pas de moi; il proférait des injures et me montrait le poing. A plusieurs reprises, l'agent de la circulation me fit un signe que je ne compris pas. Devais-je rester où j'étais ou poursuivre mon chemin ? Devais-je aller tout droit ? Tourner à gauche ou à droite ?

Je fis un pas vers la droite. Les journaux et les revues que je tenais sous le bras tombèrent à terre. C'est alors que j'entendis juste derrière moi un coup d'avertisseur. J'abandonnai les journaux par terre pour faire un bond de côté... Non. Je dus ramasser les journaux, car je les lus plus tard, dans le train. Je les ramassai donc et fis un bond de côté. Mais ensuite... Que se passa-t-il ensuite ?

Rien. Je parvins à rejoindre le trottoir, me rendis à la gare, pris mon billet et allai chercher mes bagages, tout cela ne fait pas le moindre doute. Ensuite, je montai dans le train.

CHAPITRE CINQUIÈME

UN grand traîneau à quatre places m'attendait à la gare de Rhéda. Un jeune garçon qui n'avait guère l'allure d'un cocher de grande maison s'occupa de mes bagages. Je relevai mon col et tirai la couverture de laine sur mes genoux. Nous parcourûmes un pays plat et désolé, le traîneau avançait sur des chaumes, entre des arbres dénudés. La tristesse et la monotonie du paysage m'oppressaient, et la lumière blafarde de cette fin de journée augmentait encore mon abattement. Je m'endormis. Les voyages me fatiguent toujours beaucoup. Je m'éveillai lorsque le traîneau s'arrêta devant la maison du garde forestier. J'entendis un chien aboyer, et lorsque j'ouvris les yeux, ivre de sommeil, je vis cet homme – celui-là même qui balaie en ce moment ma chambre d'hôpital en feignant de ne m'avoir jamais vu auparavant –, je vis le prince Praxatine, vêtu d'un court manteau de fourrure et chaussé de hautes bottes. Il se tenait à côté du traîneau et me souriait. Je remarquai immédiatement la cicatrice de sa lèvre supérieure et constatai qu'elle était mal suturée et mal cicatrisée. De quelle sorte de blessure pouvait-il s'agir ? On eût dit le coup de bec d'un grand oiseau.

« Avez-vous fait bon voyage, docteur ? me demanda-t-il. Je vous ai envoyé le grand traîneau pour vos bagages, mais je vois que vous n'avez que ces deux petites valises. »

Cet homme, qui sort en ce moment discrètement de ma chambre avec son balai sous le bras, me parlait sur un ton à la fois aimable et condescendant, comme s'il se fût adressé à un subordonné. Il était donc tout naturel que je le prisse pour le châtelain de Morwede. Je me levai dans le traîneau.

« Ai-je l'honneur de parler au baron von Malchin et...

– Non, je ne suis pas le baron, je ne suis que son régisseur. Prince Arkadi Praxatine. Oui, je suis russe, une feuille emportée par la tempête, un de ces émigrants qui vous racontent immédiatement qu'en Russie, ils possédaient je ne sais combien d'hectares, et un palais à Petrograd, et un autre à Moscou, et que maintenant, ils sont serveurs dans un restaurant quelconque. Mais moi, je ne suis pas serveur, je gagne ma vie ici, au domaine. »

Il n'avait pas lâché ma main. Dans ses paroles, je sentis une sorte d'indifférence mélancolique et une légère autodérision qui met l'interlocuteur mal à l'aise. J'allais me présenter à mon tour, mais il semblait considérer que c'était superflu et ne me laissa pas parler.

« ... Inspecteur, administrateur, régisseur, comme vous voudrez, poursuivit-il. J'aurais pu tout aussi bien devenir le chef cuisinier du baron, car c'est plutôt dans ce domaine que s'exercent mes talents. Chez moi, j'étais réputé dans tout le voisinage pour mes pirojkis au poisson, mes champignons à la crème et mes potages chasseur. A l'époque, on savait encore vivre. Mais ici, dans ce pays, dans cette région... Jouez-vous aux cartes, docteur? Au baccara, peut-être, ou à l'écarté? Non? C'est dommage. Cette région, vous savez... c'est un désert, rien de plus. Vous le constaterez par vous-même. On n'y trouve pas la moindre forme de vie sociale. »

Il lâcha enfin ma main, alluma une cigarette et jeta un regard rêveur vers le ciel vespéral et la lune pâle, tandis que je m'enveloppais en grelottant dans la couverture de laine. Puis il poursuivit son monologue :

« ... Bien. Passe encore ce désert. Mais pour ce qui est de la vie, ici, c'est une véritable punition. Parfois, le matin, quand je m'habille, je me dis : c'est vrai, tu mènes une existence vide, mais c'est de ta faute, tu l'as même appelée de tes vœux. A l'époque, en effet, lorsque les bolcheviks m'ont arrêté – je me demanderai d'ailleurs jusqu'à la fin de mes jours pourquoi ils ont fait une chose pareille –, à l'époque, donc, je craignais pour ma vie, je tremblais de peur et je priais Dieu à genoux : " Je suis jeune, aie pitié de moi, je veux vivre. " " Que le diable t'emporte ! me répondait Dieu. Tu m'as tout l'air d'être un martyr de la foi. Va, et vis ! " Maintenant, donc, je l'ai, cette vie. Les autres, ceux qui ont péché eux aussi, qui ont accumulé le mal au fond de leur cœur, ceux-là se sont adonnés au jeu et à la boisson, ils ont gaspillé l'or et l'argent, ils ont versé trop peu de larmes sur leurs péchés; mais aujourd'hui, ils sont même heureux, ils vivent comme des paysans. Ils se contentent de leur bouillie et de l'eau-de-vie qu'ils distillent eux-mêmes, ils ne réfléchissent pas. Moi, en revanche, voyez-vous, je pense à moi en permanence. Voilà, docteur, vous connaissez la maladie dont je souffre : je pense beaucoup trop. Ne me dites pas que vous avez des sympathies pour les Rouges ? »

Je lui expliquai que je ne m'occupais pas du tout de politique. Il sentit probablement au ton de ma voix mon irritation et mon agacement, car il recula d'un pas, se frappa le front de la main et se mit à s'adresser des reproches :

« Je bavarde, je bavarde, je fais même de la politique, et là-bas, dans la maison, il y a cette enfant malade... Qu'allez-vous penser de moi, docteur ? Le baron, mon ami et bienfaiteur, m'a dit : " Arkadi Fiodorovitch, allez à la rencontre du médecin, et s'il n'est pas trop fatigué par le voyage, priez-le de s'arrêter et de rendre visite à cette malade. " C'est une petite fille, elle est ici, dans la maison du garde forestier. Depuis deux jours déjà, elle a de la fièvre. Elle a peut-être la scarlatine. »

Je descendis du traîneau et je le suivis à l'intérieur de la maison. Pendant ce temps, le cocher détela les chevaux pour les dégourdir. Un jeune chien, enchaîné dans sa niche, sortit brusquement et se mit à japper. Le Russe lui donna un coup de pied, le menaça du poing et cria :

« Tais-toi, bâtard du diable, damnée bestiole! Disparais dans ton trou! Tu ne me reconnais toujours pas. Pourtant, tu devrais me connaître, tu m'as vu assez souvent. Tu n'es bon à rien, tu ne mérites pas le pain qu'on te donne ici! »

Nous entrâmes dans la maison. Par un couloir mal éclairé, nous nous rendîmes dans une pièce sombre et mal chauffée. Je n'y voyais presque pas, et je me blessai au tibia en me cognant contre le pied d'une chaise.

« C'est tout droit, docteur », dit le Russe.

Mais je ne bougeai pas. J'écoutais le son d'un violon qui venait de la pièce voisine.

C'étaient les premières mesures d'une sonate de Tartini, et cette mélodie mélancolique, comme habitée par des fantômes, m'émeut à chaque fois que je l'entends. Elle est associée pour moi à un vague souvenir d'enfance : je me vois dans l'appartement de mon père, c'est dimanche, tout le monde est sorti et je suis seul. Bientôt, la nuit tombe; il n'y a aucun bruit, je n'entends que le vent qui gémit dans la cheminée, et j'ai peur, parce que tout autour de moi semble enchanté. J'éprouve la grande terreur des enfants devant la solitude, le lendemain et la vie.

L'espace d'un instant, j'eus le sentiment d'être comme un petit garçon apeuré, au bord des larmes. Puis je me ressaisis. Je me demandai qui pouvait bien jouer le premier mouvement du *Trille du diable* dans cette maison isolée. Et le Russe, comme s'il avait deviné mes pensées, me répondit :

« C'est Federico. J'étais sûr que nous le retrouverions ici. On ne l'a pas vu depuis ce matin. C'est donc ici qu'il est venu pour jouer du violon au lieu d'apprendre sa leçon de français à la maison. Venez, docteur. »

La musique cessa lorsque nous pénétrâmes dans la chambre. Près du lit, une femme entre deux âges, aux joues blêmes, les traits tirés par le manque de sommeil, se leva et me lança un regard à la fois inquiet et plein d'espoir. La lumière tamisée d'une lampe à pétrole tombait sur l'édredon, les coussins et le visage émacié de la jeune patiente qui pouvait avoir treize ou quatorze ans. Un Christ en bois de chêne noirci étendait ses bras au-dessus du lit. Le jeune garçon qui avait joué le *Trille du diable* était assis sur le rebord de la fenêtre, immobile, dans l'obscurité. Son violon reposait sur ses genoux.

« Eh bien? me demanda le Russe, lorsque j'eus terminé l'auscultation.

– Vous aviez parfaitement raison, c'est une scarlatine. Je vais déclarer la maladie à la mairie.

– C'est le baron qui est le maire, et moi qui m'occupe des formalités administratives, déclara le Russe. Je remplirai donc les formulaires et je vous les enverrai demain pour la signature. »

Tout en me lavant les mains, je donnai à la femme les consignes à suivre pour la nuit. D'une voix qui trahissait sa crainte et son émotion, et sans quitter l'enfant des yeux, elle répéta toutes mes indications pour bien me montrer qu'elle n'oublierait rien. Le Russe se tourna alors vers le garçon qui était resté immobile dans la pénombre :

« Vous voyez, Federico, dans quelle situation vous me mettez. On vous a défendu de venir ici, mais vous, vous vous en souciez comme d'une guigne, on vous trouve dans cette maison tous les jours, vous vous précipitez ici comme poussé par le vent. Mais maintenant, vous êtes dans une chambre de malade, peut-être avez-vous même déjà contracté la scarlatine. Voilà les conséquences de votre désobéissance. Que dois-je faire? Je vais être contraint d'informer votre père que je vous ai trouvé ici. »

Dans l'obscurité, on entendit alors la voix du jeune garçon :

« Vous vous tairez, Arkadi Fiodorovitch. Je sais que vous vous tairez.

– Tiens donc! Comment le savez-vous? En êtes-vous donc si sûr? Seriez-vous par hasard en train de me menacer? Et de quoi allez-vous me menacer, Federico? Je vous parle très sérieusement, en ce moment. Que signifient ces propos? Répondez! »

Le garçon gardait le silence, et ce silence sembla inquiéter le Russe. Il fit un pas en avant et poursuivit :

« ... Vous restez là comme un hibou sur sa branche au cœur de la nuit et vous me menacez, même si vous ne dites rien. Vous croyez peut-être que j'ai peur... De quoi pourrais-je avoir peur, je vous le demande? C'est vrai, il m'est arrivé parfois de jouer avec vous à un petit jeu, mais ce n'était pas par plaisir. Je voulais simplement vous distraire. Et les petits papiers que vous avez signés...

– Je ne parle pas du trente-et-quarante, dit le garçon avec un accent imperceptible d'arrogance et d'irritation dans la voix. D'ailleurs, je ne vous ai pas menacé. Vous vous tairez, Arkadi Fiodorovitch, pour la bonne raison que vous êtes un gentleman.

– Voilà donc ce que vous voulez dire, remarqua le Russe après avoir réfléchi une minute. Bien, supposons donc que je me taise une fois de plus par égard pour vous et parce que je suis un gentleman. Mais dans ce cas, il ne fait aucun doute que vous reviendrez ici dès demain.

– En effet, cela ne fait aucun doute, répliqua le garçon. Je reviendrai demain, et tous les jours qui suivront. »

La petite fille sortit la main de dessous les couvertures et, sans ouvrir les yeux, demanda à mi-voix :

« Federico ! Es-tu encore là, Federico ? »

Le garçon quitta sans bruit le rebord de la fenêtre.

« Oui, Elsie, je suis encore là, je suis près de toi. Le docteur aussi est là. Tu guériras très vite et tu pourras bientôt te lever. »

Entre-temps, le Russe semblait avoir pris une décision.

« C'est tout à fait impossible, dit-il. Je ne peux tolérer que vous continuiez à faire ces visites. Vis-à-vis de votre père, je ne peux prendre la responsabilité de... »

D'un geste de la main, le garçon lui coupa la parole :

« Vous n'avez à prendre aucune responsabilité, Arkadi Fiodorovitch. C'est moi qui endosse l'entière responsabilité. Vous n'êtes au courant de rien, vous ne m'avez jamais vu ici. »

Jusque-là, la façon dont le Russe négociait avec cet adolescent m'avait plus amusé qu'irrité. Mais il me sembla alors opportun d'intervenir :

« Jeune homme, les choses ne sont pas aussi simples. En tant que médecin, j'ai également mon mot à dire. En restant dans cette pièce, vous êtes devenu porteur de la maladie. Vous représentez un danger pour toutes les personnes avec lesquelles vous entrez en contact. En êtes-vous conscient ? »

Le garçon ne répondit pas. Il resta dans la pénombre, et je sentais son regard peser sur moi.

« ... Vous allez donc rester pendant deux semaines à l'isolement, en observation, repris-je. J'y veillerai moi-même. Il va sans dire que je suis dans l'obligation d'en informer votre père.

– Parlez-vous sérieusement ? » demanda le garçon, et

je constatai, non sans une certaine satisfaction, que sa voix avait perdu un peu de son assurance.

« Certainement. Je suis fatigué, exténué, et je ne suis pas d'humeur à plaisanter.

– Non, il ne faut pas que vous en parliez à mon père, me dit-il doucement, d'une voix qui se faisait suppliante. Pour l'amour du ciel, ne lui dites pas que vous m'avez trouvé ici.

– Je n'ai malheureusement pas le choix, répondis-je sur un ton aussi neutre que possible. Je crois que nous pouvons partir, maintenant. Je n'ai plus rien à faire ici, aujourd'hui. Du reste, vous ne m'avez pas l'air bien brave, jeune homme. A votre âge, quand j'avais mérité une punition, je l'affrontais avec un peu plus de courage. »

Un silence pesant régna pendant un moment dans la pièce; je n'entendais que la respiration haletante de l'enfant fiévreuse et les crépitements de la lampe à pétrole.

« Arkadi Fiodorovitch, dit soudain le garçon, vous êtes mon ami. Pourquoi ne m'aidez-vous pas? Vous restez là sans rien faire et vous tolérez qu'on m'offense.

– Vous n'auriez pas dû lui parler ainsi, docteur, dit le Russe. Vraiment, vous n'auriez pas dû parler ainsi. Vous savez, il est vraiment dans une situation difficile. Nous devrions plutôt nous efforcer de l'aider. Ne croyez-vous pas qu'il suffirait que nous désinfections ses vêtements et son linge à la maison?

– Effectivement, cela pourrait peut-être suffire, admis-je. Mais vous avez entendu comme moi que ce jeune homme a l'intention de revenir ici demain ainsi que tous les jours suivants... »

Le garçon s'était appuyé contre le rebord de la fenêtre et me regardait.

« Et si je vous promets de ne plus revenir?

– Est-ce que vous changez toujours aussi rapidement

d'avis? lui demandai-je. Qui me garantit que vous tiendrez votre promesse? »

Le silence s'instaura à nouveau. Puis le Russe intervint :

« Ne soyez pas injuste avec Federico, docteur. Vous parlez ainsi parce que vous ne le connaissez pas. Mais moi, je le connais, je le connais même très bien. S'il donne sa parole, il la tiendra. Je m'en porte garant.

– Bien. Il va donc me donner sa parole... »

Le garçon m'interrompit :

« Je ne donnerai ma parole qu'à vous seul, Arkadi Fiodorovitch, à vous qui êtes mon ami et un gentleman. Je ne reviendrai plus dans cette maison tant qu'Elsie sera malade. Est-ce suffisant? »

La question s'adressait au Russe, mais c'est moi qui répondis :

« C'est suffisant. »

Le garçon s'approcha alors, sans un bruit, telle une ombre.

« Elsie! Tu m'entends, Elsie? Je ne reviendrai pas, tu l'as entendu, j'ai donné ma parole. Je ne pouvais pas faire autrement. Tu sais que si Père apprend que je suis venu te voir, il te fera partir d'ici, très loin, il t'enverra peut-être même à la ville, chez des inconnus. Voilà pourquoi il vaut mieux que je ne revienne pas. Tu m'entends, Elsie?

– Elle ne vous entend pas, jeune homme, elle dort », murmura la femme.

Elle prit la lampe et la posa sur la table. Le garçon se trouva soudain en pleine lumière, et c'est à ce moment-là seulement que je vis son visage.

Sur le coup, je ressentis un choc terrible. Si quelqu'un – comme le Russe, par exemple – m'avait posé une question à cet instant précis, j'aurais été incapable de prononcer la moindre parole.

Je ressentis un poids oppressant dans la région du cœur, je lâchai le thermomètre, mes genoux se mirent à trembler, et je cherchai instinctivement à m'appuyer au dossier d'une chaise.

Puis, lorsque j'eus surmonté ce premier moment de confusion et que je pus réfléchir calmement, je me dis que ce que j'avais vu ne pouvait être vrai. C'était une hallucination, mes nerfs étaient tendus, ma mémoire m'avait joué un mauvais tour. Le visage de ce garçon avait été occulté par un autre, par une vision qui me poursuivait déjà depuis le début de la journée. C'était une obsession importune qui devait disparaître immédiatement.

Le garçon se baissa, ramassa le thermomètre et me le tendit. Et lorsque je plongeai pour la seconde fois mon regard dans son visage – il était, cette fois, tourné vers moi, et je le voyais sous un éclairage différent –, je compris qu'il ne s'agissait pas d'une hallucination. Ce garçon avait les traits de la sculpture gothique en marbre que j'avais vue quelques heures plus tôt à Osnabrück dans la vitrine de l'antiquaire, au milieu de tout un bric-à-bric de vieilleries.

Ce n'était pas tant la ressemblance physique qui me fascinait que l'expression de ce visage – identique à celle de la statue. Je retrouvais cette juxtaposition incompréhensible d'une violence débridée et d'une grâce majestueuse qui m'avait tant étonné en voyant la sculpture. Le nez et le menton, bien sûr, étaient différents : ils étaient moins marqués, ils avaient des contours plus doux. Celui à qui appartenaient ces traits, me semblait-il, devait être capable des impulsions les plus sauvages comme les plus tendres. Ce qu'il y avait de nouveau et de surprenant pour moi dans ce visage, c'étaient les yeux : de grands yeux bleus traversés de reflets argentés. On eût dit des iris.

Devant la vitrine du brocanteur, j'étais parvenu à m'arracher spontanément à la contemplation de la sculpture de marbre, mais cette fois, j'étais comme sous l'effet d'un charme, mon regard ne quittait pas ce visage et ces yeux. Mon comportement était peut-être ridicule, mais ni le garçon ni le régisseur ne semblaient remarquer les sentiments qui m'agitaient. Le Russe réprima un bâillement et me demanda :

« Etes-vous prêt, docteur ? Pouvons-nous partir ? »

Puis, sans attendre ma réponse, il se tourna vers Federico :

« ... Le traîneau attend dehors. C'est le grand, il y a de la place pour plus de trois personnes. Vous rentrerez donc avec nous, Federico.

– Merci, répondit le garçon. Je préfère rentrer à pied. Je connais un raccourci.

– Vous ne le connaissez que trop bien, que trop bien ! ironisa le Russe. Je ne doute pas que vous le trouviez. »

Le garçon ne répondit pas. Il s'approcha du lit, son étui à violon sous le bras; son regard se posa une dernière fois sur l'enfant endormie, puis il prit son manteau et son bonnet, passa à côté de moi en esquissant un petit signe de la tête et sortit.

« Vous l'avez blessé, docteur, dit le Russe lorsque le traîneau s'ébranla. Et vous l'avez fait délibérément, j'ai bien vu comment vos yeux brillaient. Vous vous êtes fait un ennemi, docteur, et il n'est pas bon d'avoir Federico pour ennemi. »

Nous avions quitté la forêt et traversions les champs plongés dans l'obscurité; le vent jouait ses tristes mélodies sur les fils télégraphiques.

« Qui est le père de Federico ? demandai-je.

– Son père ? Son véritable père est un petit artisan qui vit quelque part en Italie du Nord. Federico est issu d'un milieu très pauvre. Mais le baron l'a adopté et il l'aime peut-être plus que son propre enfant.

– Le baron a lui-même un enfant ?

– Oui, répondit le Russe avec étonnement. C'est votre

jeune patiente, docteur, l'enfant de la maison du garde forestier. Ne vous avais-je pas dit que vous alliez faire une visite à la petite fille du baron ?

– Non, vous ne me l'aviez pas dit. Et pourquoi confie-t-il sa propre fille à des étrangers ? »

Je me rendis compte immédiatement que rien ne m'autorisait à poser une telle question, et j'ajoutai :

« ... Excusez-moi, ce n'est pas la curiosité qui me pousse à vous demander cela, je vous parle en tant que médecin. »

Le Russe sortit une boîte d'allumettes de la poche de son manteau de fourrure et tenta d'allumer une cigarette. Il mit un certain temps avant d'y parvenir. Puis il me répondit :

« L'air de la forêt est peut-être meilleur pour la santé de cette enfant. Là-bas, au village, il y a du brouillard, toujours du brouillard, pendant tout l'automne et tout l'hiver. Vous comprenez ? »

De la main qui tenait sa cigarette, il désigna les lumières éparses du village qui semblaient scintiller derrière un voile épais et laiteux.

« ... Il monte du marais et des prairies humides, et il se glisse jusque dans le village. Il est là en permanence, jour après jour, nuit après nuit. Il est encore plus insupportable que la solitude, il réveille les pensées noires, il rend les âmes malades. Peut-être feriez-vous mieux d'apprendre tout de même à jouer aux cartes, docteur. »

CHAPITRE SIXIÈME

La maison dans laquelle on m'avait installé appartenait au tailleur du village, un homme de grande taille, maigre, aux yeux irrités et aux mouvements lents. Il avait servi à Osnabrück dans un régiment de dragons, il avait fait la Première Guerre mondiale en tant que sous-officier et avait été blessé lorsque les troupes avaient marché sur Varsovie. Il s'était remarié. Sa première femme était morte d'un « mal de poitrine ». La seconde, outre quelque argent, lui avait apporté sa maison. Il me raconta tout cela le premier soir, en m'aidant à déballer mes instruments. Par la suite, je ne le rencontrai que rarement, car il était presque toujours dans son atelier. Depuis ma chambre, je l'entendais parfois fendre du bois dans la cour.

Je voyais sa femme tous les jours : elle s'occupait de mon appartement et de mes vêtements, et lavait mon linge. Au début, elle préparait aussi mes repas, mais par la suite, je préférai les faire venir de l'auberge. Elle était appliquée, travaillait discrètement et parlait peu. Le dimanche, elle portait une jupe noire avec des ourlets jaunes, un tablier orné de rubans de la même couleur et un fichu bleu, tenue que je ne vis qu'une seule fois dans le village et ses environs.

Mon appartement se composait de trois pièces dont l'aménagement vieillot suscita en moi dès le début une très forte aversion. Je savais que je ne pourrais pas supporter très longtemps de vivre au milieu de ce mobilier inutile qui manquait de confort. Aujourd'hui, je suis un peu plus indulgent, et je pense même avec une certaine émotion à mon bureau avec ses héliogravures encadrées, les bois de cerf, les deux fauteuils en osier chargés de coussins, la porteuse d'eau sur la cheminée et les dérisoires fleurs artificielles qui ornaient ma chambre. Ces objets furent les témoins d'un immense bonheur, et je ne les reverrai jamais plus.

L'instituteur fut le premier visiteur qui s'assit dans l'un des deux fauteuils en osier.

Depuis ma fenêtre, je l'avais déjà observé, faisant les cent pas, indécis, devant la porte de la maison. A plusieurs reprises, il avait fait mine d'entrer, mais s'était finalement éloigné à nouveau. Quand il arriva, j'étais en train de me raser devant la glace. Il avait un visage maigre et ridé, des cheveux clairsemés, mais longs, et une coiffure un peu excentrique; ses vêtements affichaient un désordre probablement délibéré qui devait signifier qu'il était au-dessus de ce genre de contingences, et il parvenait effectivement à être tel qu'on s'imagine par exemple un déclamateur ambulant.

Ce n'était pas le médecin qu'il venait voir; comme il me l'indiqua d'entrée, une saine méfiance à l'égard de ses semblables l'avait amené chez moi. Il me confia qu'il avait pris l'habitude de ne jamais se faire une opinion d'emprunt, mais qu'il cherchait toujours à se la forger par lui-même. Il ne se laissait pas influencer par les autres. En effet, l'activité essentielle de ces « autres », ici et – comme il le supposait – aussi ailleurs, consistait selon lui à essayer de séparer des êtres qui ne pouvaient pour ainsi dire se passer l'un de l'autre – il fit une pause à cet endroit – et pouvaient même parfois être liés par des sentiments réciproques.

Assis dans son fauteuil d'osier, il contemplait, l'air songeur, le feu de cheminée, tandis que la neige collée à ses bottines fondait et tombait goutte à goutte sur le sol où elle allait former de petits lacs et des canaux.

Il avait la réputation, dans certains milieux, d'avoir un caractère peu sociable – il s'était rendu impopulaire surtout en haut lieu, poursuivit-il, en désignant d'un geste vague de la main le bord supérieur de la fenêtre. Mais il acceptait volontiers cette impopularité. Elle était due à son penchant pour la sincérité, à son principe de dire toujours la vérité, rien que la vérité. Il n'avait pas l'habitude de mâcher ses mots, il appelait un chat un chat et ne faisait aucune concession dans ce domaine, même vis-à-vis des autorités supérieures. Bien entendu, ce courage qu'il avait de dire la vérité incommodait certaines personnes, surtout celles qui avaient quelque chose à cacher, mais lui, l'instituteur, ne pouvait en tenir compte.

Ensuite, il changea de sujet de conversation :

« La région est assez malsaine. En ce qui concerne l'hygiène, aussi, nous avons pris du retard. Il faut dire que le régime qui règne ici est hostile au progrès. Vous aurez donc bien assez de travail. Votre prédécesseur aurait volontiers pris un peu de repos – au moins durant les dernières années –, mais le destin en décida autrement. Il avait soixante-douze ans quand il mourut. Je peux dire que j'ai trouvé une amitié véritable dans cette maison. Le disparu et moi étions d'accord sur tout et tout le monde. Que de soirées n'ai-je pas passées dans cette pièce à discuter tranquillement, en mangeant un morceau et en buvant un verre de bière ! »

Il désigna l'une des héliogravures qui représentait un roi shakespearien assis sur son trône. Deux femmes se jetaient à ses pieds pour implorer sa protection, et à l'arrière-plan, on apercevait un ambassadeur exotique et sa délégation, avec des chevaux et des chameaux.

« ... C'est mon dernier cadeau de Noël, dit-il. Il lui a fait très plaisir, il en prenait grand soin. Maintenant, il appartient à la commune, comme tout le reste. Elle s'est approprié toute la succession lors d'une vente aux enchères. Evidemment, les choses ne se sont pas déroulées tout à fait normalement, j'en connais certains qui ont gagné pas mal d'argent par la bande, mais ils ne devraient pas se faire trop d'illusions sur leur habileté. On les connaît, ces gaillards, et dans cette affaire, le dernier mot n'a pas encore été dit. »

Il resta silencieux pendant un moment, plongé dans la contemplation de la gravure. Quand je lui dis que j'allais rendre visite au maître du domaine, il me proposa immédiatement de m'accompagner pour me montrer le chemin, que j'aurais sans aucun doute trouvé tout seul. Depuis la rue du village, je voyais une grande bâtisse à deux étages, en grès rose, au toit d'ardoise bleutée, située à quelques distances derrière un bosquet de hêtres dénudés aux branches chargées de neige.

Chemin faisant, nous parlâmes de mon logeur et de sa première femme.

« Que vous a-t-il dit? s'écria l'instituteur. Il vous a dit qu'elle était morte? D'un mal de poitrine? Vous m'en direz tant! Elle est vivante. Simplement, elle l'a quitté pour le représentant d'une société d'engrais qu'elle a tout simplement suivi, un beau jour. Morte? Il vous a vraiment affirmé cela, n'est-ce pas? Elle aurait été rappelée à Dieu? Maintenant, vous connaissez la vérité. Elle se porte aussi bien que vous et moi, j'en donnerais ma tête à couper. »

Je lui dis que s'il n'en tenait qu'à moi, il n'était pas nécessaire qu'il se mît dans une situation aussi inconfortable, car il m'était tout à fait indifférent de savoir si cette femme était encore en vie ou non. Mais en parlant, il s'était laissé emporter par la colère et voulut absolument me raconter toute l'histoire.

« ... Sa femme actuelle le trompe aussi, mais elle, elle va chercher ses amants ici, au village. D'abord, elle a jeté son dévolu sur le fils aîné du forgeron, et maintenant, c'est le tour du cadet. Le tailleur se venge en volant l'argent qu'elle cache, et le dépense en cognacs. Tout cela est pourri, complètement pourri. Même le beurre qui n'est pas encore battu est rance, chez ces gens-là. »

Dans le parc, à côté du puits, devant la petite pelouse où les rosiers étaient protégés par des bottes de paille, il prit congé de moi.

« Vous êtes trop crédule, me dit-il, avec un soupçon de désapprobation dans la voix. Les gens auront tôt fait de comprendre qu'ils peuvent vous duper comme bon leur semble. Si vous désirez connaître la vérité sur qui que ce soit, ici, au village, c'est à moi qu'il faudra vous adresser. Je les connais tous, hélas. »

Puis il traversa le parc couvert de neige, refaisant en sens inverse le chemin que nous avions emprunté pour venir, et tout en marchant, il frappait de sa canne toutes les boules rouges des buissons de houx. Le vent gonflait son léger manteau, on eût dit qu'il portait tout son pauvre savoir sur les habitants de ce village dans un grand sac brun sur son échine courbée. Lorsqu'il fut arrivé devant la grille, il se retourna encore une fois vers moi et me fit de grands signes avec son chapeau de feutre.

CHAPITRE SEPTIÈME

LE baron von Malchin me reçut dans son cabinet de travail, une vaste pièce, basse de plafond, lambrissée de chêne, et dont les fenêtres donnaient sur une terrasse et sur le parc. D'épais nuages de fumée de cigare flottaient au-dessus de son bureau, s'accrochaient aux étagères de la bibliothèque et se dissipaient en montant vers les poutres vermoulues qui soutenaient le plafond. Une collection d'armes de choc et de main ornait les murs. Elle comprenait certaines pièces vénérables et rares : je vis un maillet du XVIe siècle, une hache de combat polonaise dont le manche était entouré de lanières de cuir, une pertuisane suisse, un poignard espagnol, une lance de chasse du XVIe siècle, un espadon imposant et une épée vénitienne, de celles que l'on appelle *chiavona*. Et tandis que mes yeux s'attardaient sur l'espadon, qui semblait être d'origine sarrasine, je fis part au maître du domaine de l'état de santé de sa fille.

Il m'écouta attentivement, quelques brèves interventions de sa part me firent comprendre qu'il avait rendu visite à l'enfant très tôt dans la matinée et que la femme du garde forestier était une garde-malade très expérimentée. Elle avait en effet élevé ses deux enfants, tous deux d'une nature maladive.

« Ma petite Elsie est en de bonnes mains, dit-il. Et

maintenant que vous êtes là, je suis tout à fait rassuré. »

Nous ne parlâmes plus de la petite Elsie ce jour-là. Le baron orienta rapidement la conversation sur mon père.

Quand j'essaie de me souvenir de mon père, je le vois le plus souvent au travail. Je ne compris clairement le sens de ses travaux qu'au cours des années de mon enfance où je commençai à réfléchir et à observer le monde qui m'entourait. A cette époque, il ne faisait aucun doute pour moi que les feuillets couverts d'une écriture serrée et gracile qui se trouvaient sur son bureau contenaient des formules magiques et des prières qui protégeaient la maison des voleurs. J'admirais mon père, et son travail suscitait en moi tout à la fois la crainte et la curiosité. Plus tard, j'appris de la bouche de notre gouvernante que mon père rédigeait des « livres d'histoire », que je ne devais pas le déranger, et que ces livres n'avaient rien à voir avec les histoires de pirates et d'aventuriers que je voyais dans les bibliothèques de prêt, entre les mains de mes camarades de classe ou avec ceux que je trouvais dans mes sabots à Noël. Cette révélation fit disparaître pour longtemps l'intérêt que je portais aux travaux de mon père.

Je garde des souvenirs précis des dernières années de sa vie. Je le vois faire les cent pas dans la pièce, l'air absorbé, la tête basse, je le vois vérifier les comptes de notre vieille gouvernante; son visage était toujours blême et marqué par la fatigue; parfois, il soupirait, et j'aurais pu lire entre les rides de son front les soucis qu'il évoquait souvent, et peut-être aussi du chagrin et bien des déceptions. Je garde le souvenir d'un homme seul, qui ne vivait plus que pour moi et pour son travail.

Mais le portrait que le baron brossa de mon père ne correspondait en rien à ce souvenir. C'était peut-être un portrait de jeunesse qui s'ébauchait devant mes yeux, celui d'un être jeune que je n'avais connu que dans son déclin. Un homme d'une vitalité débordante, qui séduisait les femmes et charmait les hommes, un amateur de chasse et de vins capiteux, un homme du monde, hôte attendu avec impatience et accueilli chaleureusement dans les châteaux aristocratiques, un être qui se dépensait sans compter, semait des idées précieuses à tous les vents en buvant un verre de vin ou en fumant un cigare : voilà comment mon père, dont je n'avais connu que les dernières années, si épuisantes, vivait dans le souvenir du baron von Malchin.

« C'est étonnant, dis-je à mi-voix, l'air songeur.

– Oui. C'était effectivement un homme qui avait des dons étonnants, dit le baron. Une personnalité véritablement hors du commun. Je pense à lui souvent. Que ne donnerais-je pas pour pouvoir lui parler encore une fois et le remercier.

– Le remercier? demandai-je avec étonnement. Mais de quoi? »

Noyé dans un nuage de fumée, le baron me donna une réponse à laquelle je ne m'attendais pas.

« J'ai plus de raisons de le remercier qu'il ne pouvait l'imaginer : il est mort trop tôt. Une idée qu'il avait lancée négligemment est devenue l'œuvre de toute ma vie.

– Vous vous occupez donc de l'histoire du Moyen Age allemand? »

Le baron me lança un regard furtif. Son visage mince et anguleux perdit un instant son expression courtoise pour devenir dur, passionné, fanatique.

« Mes recherches historiques sont terminées, dit-il. En ce moment, je travaille dans le domaine scientifique. »

Il me jeta à nouveau un regard inquisiteur. Il cherchait peut-être à retrouver dans mon visage les traits familiers de mon père. Je gardai le silence en contemplant les armes médiévales qui ornaient le mur.

« Vous semblez vous intéresser à ma petite collection, constata-t-il en reprenant son expression courtoise et un peu impersonnelle. L'espadon vous a tapé dans l'œil, n'est-ce pas ? »

J'acquiesçai :

« C'est une pièce sarrasine de la fin du XIIe siècle, n'est-ce pas ?

– Exactement. Je possède une autre pièce issue du même atelier, une cotte de maille. Le nom de l'épée est gravé dans la lame. Elle s'appelle *Al Rosoub,* " celle qui plonge profondément ". Cette arme a participé aux combats de la deuxième croisade, son dernier propriétaire est tombé à Bénévent avec son seigneur, Manfred, le fils de l'empereur. »

Il désigna une courte épée, recourbée à la manière d'un sabre, et qui était accrochée au-dessous de la lame sarrasine.

« Et celle-là ? La connaissez-vous ?

– En France, répondis-je, ce type d'armes s'appelait " braquemart ", en Allemagne " Malchus ". Sa forme est très ancienne. Les couteaux de chasse dont étaient armés les gladiateurs romains étaient semblables.

– Excellent, s'écria le baron. Je vois que vous êtes un fin connaisseur. Il faudra venir me voir souvent, docteur, aussi souvent que vos loisirs vous le permettront. Vraiment, docteur, il faut que vous me le promettiez. Les soirées sont longues ici, et, de toute façon, vous aurez du mal à trouver de la compagnie au village. »

Il se leva pour aller chercher une bouteille de whisky et des verres, puis se mit à faire les cent pas dans la pièce en me citant le nom des gens qui lui semblaient fréquentables pour moi.

« Il y a d'abord mon vieux et cher ami le curé. C'est lui qui m'a confirmé. Vous serez étonné, docteur, de l'étendue des connaissances que vous trouverez chez ce simple curé de campagne. C'est un être fondamentalement bon et généreux. Seulement, voyez-vous... Entendez-moi bien, docteur ! Ces dernières années l'ont un peu fatigué. Sa conversation n'est plus aussi fascinante qu'autrefois. Encore un whisky, docteur? Il ne faut pas s'arrêter en si bon chemin! Il observe les choses de ce monde avec une indulgence que beaucoup interprètent mal. Ce n'est pas de la naïveté, oh non, ce n'est à la rigueur qu'une sorte de résignation. Mon vieil ami ressent durement le poids des ans. » Il jeta le reste de son cigare et poursuivit : « Vous connaissez mon régisseur, le prince Praxatine, n'est-ce pas? Vous pourrez apprendre avec lui toutes sortes de jeux de cartes et une façon de voir les choses spécifiquement russe. Soit dit en passant, il est le dernier représentant de la famille Rurik. Eh oui, les Praxatine descendent des Rurik. Si l'injustice ne présidait pas aux destinées du monde, il serait aujourd'hui sur le trône des tsars...

– Ou bien il aurait été abattu et serait enterré dans une mine de plomb de l'Oural », objectai-je.

Le baron von Malchin s'arrêta brusquement devant moi et me jeta un regard agressif :

« Vous croyez? Permettez-moi d'être d'un avis différent. N'oubliez pas que les Holstein-Gottorp étaient des étrangers dans le pays lorsqu'ils prirent le nom de Romanov. Si la famille légitime avait régné, l'évolution du peuple russe aurait emprunté une voie toute différente. »

Il reprit sa ronde autour de la pièce.

« ... Vous ne ferez la connaissance de mon assistante que dans huit jours. Je l'ai envoyée à Berlin avec ma voiture. Il nous faut un stérilisateur à haute pression plus efficace.

– Pour des besoins agricoles? » demandai-je par pure politesse, car je n'avais aucune envie de savoir à quel effet le baron von Malchin avait besoin d'un stérilisateur à haute pression.

« Non, répondit-il. Ce n'est pas pour des besoins agricoles. Comme je vous l'ai déjà dit, je m'occupe d'un problème scientifique bien précis. La jeune femme qui me conseille et m'apporte son aide dans ce travail est bactériologue et docteur en chimie. »

Jusque-là, je n'avais écouté le baron qu'avec peu d'intérêt, il m'était indifférent de savoir s'il s'occupait de recherches scientifiques ou de problèmes d'une autre nature, mais lorsque j'entendis les derniers mots qu'il venait de prononcer, je sursautai, j'eus l'intuition qu'il y avait un rapport – intuition accompagnée d'un brusque sentiment de bonheur et de la peur d'être déçu. Je n'osai pas croire à l'impossible : « Bactériologue... Bibiche... Docteur en chimie... Le baron a envoyé hier son assistante à Berlin; hier, sur la place de la gare d'Osnabrück, j'ai vu Bibiche, elle sera de retour dans huit jours, mais il est impossible qu'elle vive ici – ici, tout près de moi –, que je puisse la voir tous les jours, non, de tels miracles ne se produisent pas, c'est un rêve, un rêve qui n'a duré que l'espace d'une seconde; il l'a envoyée à Berlin avec sa voiture, c'est peut-être une Cadillac verte, il faut que je lui pose la question, il faut que je le lui demande sur-le-champ... »

Mais le baron était revenu à son premier sujet de conversation.

« Ah, et puis il y a également l'instituteur. Je n'ai pas très envie de vous en parler, car je ne voudrais pas influencer votre jugement. Mais vous avez peut-être déjà fait sa connaissance. Oui? Bien, dans ce cas, vous savez tout. Il affirme être un libre penseur. Mon Dieu! En voilà une liberté, en vérité! C'est bien simple : il n'y a pas plus mauvaise langue que lui dans tout le village. Il n'épargne personne, partout il flaire des intrigues, mais lui, bien sûr, il se charge de démasquer les gens, n'est-ce pas? On ne la lui fait pas. Il me considère, sans que je sache pourquoi, comme son ennemi juré. Je ne peux hélas rien y changer. Et pourtant, en fait, il est totalement inoffensif. Ici, les gens le connaissent et le laissent parler. »

J'avais retrouvé tout mon calme. J'avais réfléchi. Il

était impossible que Bibiche vive ici, dans ce village. Elle était exigeante, c'était une femme courtisée, elle avait besoin du luxe et du confort de la grande ville, elle ne pouvait s'en passer. Quelle idée saugrenue d'aller chercher Bibiche ici, dans ces maisons paysannes noires de suie, dans les champs de pommes de terre couverts de neige et dans cette rue de village parsemée de fondrières. Non, j'avais abandonné l'espoir de retrouver Bibiche ici.

Pourtant, quelque chose en moi me poussait à questionner le baron au sujet de sa voiture, avec laquelle son assistante était partie pour Berlin. Je le fis indirectement.

« Je suppose qu'il arrivera qu'on m'appelle dans les villages voisins, n'est-ce pas? lui demandai-je. Est-il possible d'obtenir une voiture, ici, au village, en cas d'urgence? »

Le baron vida son verre de whisky. Son cigare, posé dans le cendrier, continuait de fumer.

« Je possède moi-même une voiture, dit-il. Bien sûr, je ne l'utilise presque jamais. J'appartiens à cette race d'hommes en voie de disparition qui ne sont pas pressés et qui préfèrent s'asseoir sur une selle plutôt que de prendre le volant. Je n'aime guère cette époque qui raffole des machines. Sur mes terres – de bonnes terres, d'ailleurs, docteur, des sols calcaires, des terres argileuses, de la lande sablonneuse, mais aussi des terrains marneux – vous ne trouverez ni tracteurs ni machines agricoles, vous ne verrez que des chevaux de trait, des valets de ferme et des charrues. Et à la fin de l'été, dans les granges, vous entendrez encore la chanson ancestrale du fléau. Il en était ainsi du temps de mon grand-père et il en sera ainsi tant que je serai en vie. »

Il saisit son cigare et fit tomber la cendre, l'air songeur. Il semblait avoir oublié que je lui avais parlé de sa voiture.

« ... Ma sœur, qui est décédée, poursuivit-il, a fait

installer la lumière électrique dans toutes les pièces de la maison. Moi, voyez-vous, je préfère travailler à la lumière de la lampe à huile. Cela vous étonne, docteur? Vous souriez? Les chefs-d'œuvre authentiques ont tous été réalisés à la lumière de la lampe à huile, qu'il s'agisse de l'*Enéide* de Virgile ou du *Faust* de Goethe. C'est elle qui éclairait le maître inconnu qui, sur une vulgaire table paysanne, a conçu les plans de la cathédrale d'Aix-la-Chapelle. Le Christ connaissait sa lumière douce et amicale, les vierges sages des Evangiles tenaient des lampes à huile à la main lorsqu'elles allaient à la rencontre du Sauveur. Oui... Mais de quoi parlions-nous? Ah oui... Vous pouvez disposer de ma voiture si vous en avez besoin. Conduisez-vous? C'est une voiture à huit cylindres, une Cadillac, je l'ai... Vous ne vous sentez pas bien, docteur? Voulez-vous un cognac? Un verre d'eau? Vous sentez-vous mieux? Dieu merci. Vous êtes devenu livide, docteur! »

CHAPITRE HUITIÈME

JE n'arrive pas à trouver d'autre explication : la tension qui m'abandonna soudain, un sentiment de surprise et de bonheur qui m'emplit brusquement, l'émotion que je ne pouvais pas montrer et qui pourtant était si forte que je ne parvenais pas à la réprimer, tout cela dut provoquer un curieux dédoublement de ma personnalité : j'entendais la voix du baron, je percevais la moindre de ses paroles, mais en même temps, j'avais l'impression de ne plus être là, d'être couché dans un lit, dans une chambre d'hôpital quelconque; c'était une sensation très concrète, je sentais quelque chose d'humide et de chaud sur le front et dans la nuque, et j'essayais de m'en saisir, mais soudain, je ne parvins plus à bouger le bras et j'entendis les pas feutrés de l'infirmière. Il semble qu'à ce moment-là, j'aie eu pour la première fois la vision de l'état dans lequel j'allais me trouver à la fin de toute cette aventure. Par la suite, je fus, à plusieurs reprises encore, sujet à cette sorte de pressentiment, presque toujours lorsque j'étais fatigué, la nuit le plus souvent, avant de m'endormir – mais jamais plus avec l'acuité de cette matinée-là. « Que m'arrive-t-il? me demandai-je. Où suis-je? A l'instant, je parlais encore avec le baron. Bibiche va venir. Dans huit jours, elle sera là. » A peine avais-je pensé cela que je repris tous mes esprits. J'ouvris les yeux, le baron se penchait sur moi, un verre de cognac à la main. J'avalai le cognac, j'en pris même un deuxième. « Que m'arrive-t-il ? Est-ce que je rêve ? » Cette pensée me traversa l'esprit comme un éclair. Oui, j'avais effectivement rêvé en plein jour. « Bibiche va venir, ce n'est pas un rêve, c'est la réalité. » Au baron, je parlai de surmenage, de petits accès de faiblesse sans importance.

« Ce sont les nerfs des citadins, me dit-il. La vie à la campagne vous fera du bien. »

En l'entendant prononcer les mots « à la campagne », je dus repenser à Bibiche, et je fus surpris de constater un changement aussi étrange que brutal dans mes sentiments : « Il y a quelques minutes, me dis-je, je n'osais pas espérer la revoir un jour, et maintenant, je trouve presque insupportable de devoir l'attendre encore huit jours ! »

Ayant repris le contrôle de moi-même, j'avais un peu honte de cet incident.

« C'est le mauvais air, dit le baron. Faisons entrer un peu d'ozone, j'ai fumé comme un sapeur toute la matinée. »

Il se leva et ouvrit une fenêtre. Une bouffée d'air froid s'engouffra dans la pièce qui agita les papiers posés sur le bureau. C'est probablement à cet instant précis que Federico entra. Lorsque je l'aperçus, il était appuyé contre les boiseries de chêne, entre l'espadon et une claymore écossaise. Il venait du marais ou de la forêt, car ses guêtres étaient couvertes de neige mêlée d'aiguilles de pin, et de sa gibecière dépassait la tête aux reflets bleutés d'un oiseau des marais. A nouveau, je fus frappé par cette ressemblance. Ce n'était pas une illusion optique : ce garçon avait les traits d'un homme disparu depuis longtemps et qui avait dû être un personnage important à son époque. En le voyant ainsi, immobile près de l'espadon, une idée bizarre me traversa l'esprit : « Il est fait pour cette arme. Elle a été forgée pour lui. »

Et je fus presque surpris de le voir tenir un fusil de chasse entre ses mains et non un espadon.

Le visage émacié et dur du baron s'éclaira d'un sourire fugitif :

« Déjà de retour? Je pensais que tu ne rentrerais pas avant midi. Où en sont les travaux, dans la forêt?

– Ils ont presque tout défriché jusqu'au ruisseau, raconta le garçon. Le transport du bois commencera dès demain. Deux hommes ont été embauchés. Des travailleurs des chemins de fer.

– Je n'aime guère ces travailleurs des chemins de fer, remarqua le baron. Ils ne sont pas bons à grand-chose. Qui les a pris? Praxatine? »

Sans attendre la réponse, il s'adressa à moi :

« Je vous présente Federico, dit-il simplement, sans rien ajouter sur ses origines ni sur les relations de parenté qui existaient entre lui et le garçon. Et voici notre nouveau docteur. Il est arrivé hier. »

Federico s'inclina légèrement. Rien sur son visage ne trahit que nous nous étions déjà rencontrés. Je fis un pas dans sa direction, et voulus lui tendre la main, mais ses yeux d'un bleu d'iris me lancèrent un regard étonné et hostile. Je m'arrêtai et baissai la main : il venait de me rappeler que nous étions ennemis.

Le baron von Malchin n'avait remarqué ni son regard ni mon geste.

« Etes-vous chasseur? me demanda-t-il. Federico connaît tous les lièvres de la région. Le petit gibier est correct – mais le gros n'a pas grand-chose à lui envier. Vous n'entendez rien à la chasse? C'est dommage. Votre père, docteur, avait un don pour tirer les canards. Si vous le voulez, je pourrai vous enseigner l'art de la chasse. Vous ne voulez pas? Vous m'en voyez vraiment désolé. Vous semblez ne pratiquer aucun sport, n'est-ce pas?

– Si. Je fais de l'escrime.

– Vous pratiquez l'escrime ? Voilà qui m'intéresse. A l'allemande ? A l'italienne ? »

Je répondis que je connaissais ces deux écoles pareillement.

Le baron manifesta bruyamment son enthousiasme.

« Mais alors, nous avons vraiment gagné le gros lot avec vous, s'écria-t-il. Il est si rare de rencontrer un bon escrimeur. Que diriez-vous d'un petit assaut ?

– Maintenant ?

– Si cela vous convient.

– Je vous en prie. Avec vous, baron ?

– Non, avec Federico. Il est mon élève en escrime – un élève très doué, si vous me permettez de le dire. Mais vous êtes peut-être encore fatigué. Ce petit accès de faiblesse, tout à l'heure... »

Je regardai Federico. Il attendait ma réponse, l'air attentif, les traits tendus. Lorsqu'il se rendit compte que je l'observais, il se détourna.

« C'est passé, dis-je au baron. Je me sens en pleine forme et je me tiens à votre disposition.

– Parfait, s'écria le baron von Malchin. Federico, conduis le docteur dans la salle de gymnastique. Voici la clef de l'armoire des épées. Je vous rejoins. »

Federico me précéda en chantonnant une mélodie italienne. Il marchait si rapidement que j'eus du mal à le suivre. Dans la salle de gymnastique, nous enlevâmes notre veste et notre gilet. Sans dire un mot, il me tendit un masque et une arme. Il ne semblait pas vouloir attendre le baron. Nous nous plaçâmes l'un en face de l'autre et, à bonne distance. Nous nous saluâmes, puis nous mîmes en position.

Federico commença par une estocade de volte et une double feinte qu'il prolongea, exactement comme je l'avais prévu, par un moulinet. Il me fut aisé de résister à cette attaque relativement académique. Pour dire la vérité, je ne m'attendais pas à me divertir beaucoup lors de cet assaut; je n'avais accepté l'invitation du baron que dans le but de lui être agréable. J'avais l'esprit ailleurs, mais je me sentais pourtant très sûr de moi, et tandis que je repoussais machinalement les coups de mon adversaire, je continuais de penser à Bibiche et au jour où je la reverrais.

C'est alors que le combat prit une tournure que je n'avais pas prévue. A un coup de revers par lequel j'avais fait dévier sa lame, Federico répondit avec toute une série de feintes très adroitement amenées. Je me rendis soudain compte que j'avais sous-estimé mon adversaire. Mais avant même que j'aie deviné ses intentions, il me porta un coup que je ne parvins pas à parer tout à fait : il frôla mon épaule.

« Touché ! » annonçai-je en me remettant en garde.

J'étais furieux contre moi-même et ne parvenais pas à m'expliquer comment j'avais pu avoir une telle malchance. Au cours des deux années précédentes, j'avais gagné deux prix en tournoi, et ce jour-là, je me trouvais face à un adolescent, un débutant.

« Prêt », dis-je.

Mais je m'aperçus soudain que ma chemise était déchirée au-dessus de mon épaule et que quelques gouttes de sang coulaient d'une petite éraflure. C'est alors seulement que je remarquai que la pointe de l'épée de mon adversaire ne portait pas de pommeau, cette petite boule de cuir destinée à éviter les blessures lors des assauts. C'était une arme mortelle qu'il dirigeait contre moi.

Il avait enlevé son masque.

« Savez-vous que la pointe de votre épée n'est pas protégée ? lui demandai-je.

– La vôtre non plus. »

Je ne compris pas, tout d'abord, ce qu'il voulait dire par là. Je le regardai avec étonnement; il soutint mon regard. Alors je compris tout.

« Vous ne croyez tout de même pas que je vais me battre avec un écolier ? »

En réalité, je ne prononçai pas vraiment ces mots; j'avais simplement voulu les dire. Mais son regard, ce regard que me lançaient ses yeux d'un bleu d'iris traversés de reflets argentés, m'empêcha de parler. Ensuite, quelque chose se produisit en moi que je n'arrive toujours pas à m'expliquer.

Peut-être était-ce la colère d'avoir été touché, ou le désir de prendre ma revanche, d'effacer l'échec que je venais d'essuyer? Non! Il ne pouvait s'agir seulement de cela. C'était cette expression de son visage, si insolite, c'était son regard qui m'épinglait et me faisait violence; je sentais soudain que je n'avais pas en face de moi un jeune garçon, mais que j'affrontais un homme, pis, un homme que j'avais offensé, dont j'avais mis en doute le courage et à qui je devais réparation.

« Eh bien? Etes-vous prêt? » fit la voix de Federico.

Je perdis tout mon sang-froid. Je ne ressentais plus qu'un ardent désir de relever le défi et de me battre avec lui.

« Allons-y! » m'écriai-je, et nous croisâmes le fer.

Je me souviens qu'au début, j'avais une sorte de plan. J'étais encore convaincu d'être supérieur à mon adversaire et de pouvoir déterminer le déroulement du combat. Je ne voulais pas le blesser, mais me limiter à la défense, faire échec à ses attaques et le désarmer au moment propice.

Il en fut tout autrement.

Dès les premiers coups qu'il me porta, je me rendis compte que jusque-là, il s'était contenté de jouer avec moi. Mais désormais, il prenait les choses au sérieux. Je me trouvais face à un adversaire de grande classe et à un ennemi acharné. Il m'attaquait avec une audace, une passion, mais en même temps une prudence que je n'avais encore jamais rencontrées chez un adversaire : « Avec qui suis-je en train de combattre? me demandai-je en reculant pas après pas. Qui est ce redoutable adversaire? A qui appartient son visage? D'où lui vient ce sang impétueux? » J'avais oublié qu'en fait, je voulais simplement me défendre; je compris qu'il y allait de ma vie et contre-attaquai, mais il repoussait sans effort toutes mes offensives. Je pris conscience avec effarement que je n'avais aucune chance face à cet adversaire. Il m'avait fait reculer jusqu'au mur. Mon bras faiblissait, je vis que j'étais perdu. Je savais que l'instant d'après, je recevrais le coup décisif, et tentai avec la force du désespoir de repousser l'issue fatale. J'avais peur.

« Cessez! » cria une voix.

Nous relevâmes nos épées.

« Eh bien, docteur, que dites-vous de mon élève? » me demanda le baron.

Je crois que je me mis à rire. Un rire hystérique fut la seule réponse que je fus capable de lui donner.

« Je vais diriger l'assaut, à présent, poursuivit le baron. Federico! Un pas en arrière! Encore un! Je t'annoncerai les coups. Si l'un de vous est touché, il devra le signaler. Attention! Partez! »

Les annonces se succédèrent à la vitesse de l'éclair, et Federico exécutait les coups tout aussi rapidement.

« *Balestra!* En défense! *Cavazione! Quarta bassa!* Bien, docteur! *Radoppio! Battuta!* En défense! *Colpo d'arresto!* Parfait! *Passata sotto! Risposta! Intrecciata!* Parfait! *Disarmo!* »

L'épée me vola de la main. Federico la ramassa et me la tendit. Puis il me serra la main en silence.

Le baron m'accompagna jusqu'à la grille du parc.

« Pour ses quinze ans, il n'escrime pas mal, n'est-ce pas? me dit-il en prenant congé de moi.

– Il n'a que quinze ans? répétai-je. Mais ce n'est plus un gamin. C'est un homme. »

Le baron lâcha ma main.

« C'est vrai, c'est un homme », dit-il, et je vis comme

une ombre passer sur son visage. « Dans la famille dont il est issu, on est pubère avant l'âge. »

Je rentrai chez moi dans un état d'âme curieux. Il me semblait que je ne marchais pas, mais que je flottais au-dessus de la rue du village – parfois, en rêve, on a l'impression d'être poussé par le vent. Je me sentais léger, et pourtant, j'étais ému, bouleversé même. Bibiche allait venir, et je venais de me battre en duel en un combat à la vie à la mort. Tout mon être était en ébullition, je sentais de façon plus intense qu'à l'accoutumée que je vivais.

Je crois que cet après-midi-là, je fus très heureux.

Chez moi, une petite vieille m'attendait dans mon bureau. C'était la mère de l'épicier voisin. Elle se plaignait de quintes de toux importunes, d'essoufflements, de difficultés à déglutir et de maux de gorge.

Je la regardai, l'air surpris, sans comprendre.

J'avais totalement oublié qu'ici, j'étais le médecin du village.

CHAPITRE NEUVIÈME

JE rencontrai Bibiche une semaine plus tard, vers midi. Les chiens se chamaillaient dans la rue du village. L'épicier, qui se tenait sur le seuil de sa boutique, me dit que le dégel allait arriver. Je poursuivis mon chemin et tournai au coin de la rue. C'est là que j'aperçus la Cadillac.

La voiture verte s'arrêta devant une petite maison d'aspect accueillant, aux volets peints en bleu, et dont la porte était surmontée d'une sorte d'encorbellement. Deux travailleurs du domaine sortirent de la voiture un objet de grande dimension, aux formes irrégulières, recouvert de toile, qu'ils transportèrent dans le hall de la maison. Bibiche se trouvait non loin de là et bavardait avec le prince Praxatine. Elle ne me voyait pas. Un chien de berger au poil sombre frottait sa tête contre son manteau de phoque noir. Les moineaux faisaient du tapage tout autour d'elle, dans le soleil pâle de cette journée d'hiver.

« Vous l'avez donc trouvé, demanda le Russe. Vous lui avez même parlé. Vous êtes un ange, Kallisto. Vos paroles sonnent à mes oreilles comme les cloches de Pâques. Comment se porte-t-il? Que fait-il? Il avait toujours une foule de projets en tête. Des cent roubles qu'il avait en poche, il en faisait mille, voilà le type d'homme qu'il est. Mais pourquoi n'a-t-il pas répondu à mes lettres ? Aurait-il honte de son vieil ami, par hasard ? »

Bibiche prit alors la parole. Pour la première fois depuis longtemps, j'entendis sa voix profonde et douce.

« Que de questions ! Il n'a pas reçu vos lettres. Il a changé d'emploi trois fois l'an dernier. Pendant quelque temps, il n'a pas eu de domicile, il traînait dans les rues. Jusqu'au mois dernier, il était commis chez un horloger.

– Il a toujours été doué pour les travaux de mécanique, il inventait même des choses, dit le Russe. Et maintenant ? Où est-il maintenant ?

– A l'heure qu'il est, votre ami est vendeur de journaux le jour, et la nuit, il porte une livrée, se poste devant le restaurant *A la ville de Cologne* et aide les clients à monter dans leurs voitures.

– Mon ami ? s'écria le Russe. Vous a-t-il dit que nous étions amis ? Nous ne l'avons jamais été. Je le connaissais, et nous jouions aux cartes dans le même club, voilà tout. Et combien gagne-t-il ? Vous l'a-t-il dit ?

– Les bons jours, il gagne peut-être huit marks.

– Huit marks... Il vit seul et n'a personne à charge. Cinq marks doivent lui suffire pour vivre largement. Restent trois marks par jour, ce qui fait quatre-vingt-dix marks par mois, et par an... Rien du tout ! Cela ne couvre même pas les intérêts de la somme qu'il me doit ! Je crache sur cet argent, *passez-moi l'expression*[1]. Ne vous a-t-il rien dit de ses dettes ?

– Non. Je suppose qu'il a oublié depuis longtemps qu'il en avait.

– Il a oublié ! s'exclama le prince. Une dette de jeu ? Une dette d'honneur ! Soixante-dix mille roubles, des roubles-or, des bons, payables sous huitaine. Il a oublié, dites-vous ? Dans ce cas, je vais lui écrire, je vais lui

1. En français dans le texte. (N.d.T.)

rafraîchir la mémoire. Un jour, je récupérerai cet argent. Il refera fortune, je le sais. Un homme comme lui ne reste pas sa vie durant vendeur de journaux. Un homme comme lui... Veux-tu rester tranquille ! Couché ! »

Il parlait au chien de berger qui venait de bondir vers les moineaux. Bibiche se baissa pour le caresser. Le chien posa sa gueule dans sa main.

« ... Ne m'en veuillez pas si je vous laisse, maintenant, reprit le prince. J'ai du courrier à faire avant l'heure du déjeuner, une masse de courrier... Merci encore ! »

Il se retourna et m'aperçut derrière la voiture.

« Mais voilà notre médecin ! Avez-vous déjà déjeuné ? Kallisto, permettez-moi de vous présenter le docteur Amberg...

– C'est inutile, nous nous connaissons, dit Bibiche. C'est-à-dire que je ne sais si... »

Elle fit un signe au prince Praxatine qui avait déjà pris le volant et qui rentrait la voiture dans le garage. Puis elle s'adressa de nouveau à moi :

« ... Mais je ne sais si vous vous souvenez encore de moi.

– Si je me souviens de vous ? Vous vous appelez Kallisto Tsanaris. Vous travailliez à droite, devant la deuxième fenêtre. Lorsque vous êtes venue pour la première fois, vous portiez une robe bleue comme les bleuets, avec un châle à rayures bleues et blanches... »

Elle m'interrompit :

« C'est exact.

– Et vous n'avez jamais plus porté cette robe par la suite. Une fois, en novembre, vous vous êtes absentée pendant onze jours. Etiez-vous souffrante ? Quand vous parliez toute seule, vous vous appeliez vous-même Bibiche. Vous fumiez des cigarettes courtes et fines, avec un filtre...

– Vraiment, vous vous souvenez de tout cela ? Cela voudrait donc dire que je vous ai tout de même fait une petite impression. Mais dans ce cas, je ne comprends pas pourquoi vous ne vous êtes jamais préoccupé de moi pendant tout ce temps. Je vous avoue que je me suis donné beaucoup de mal pour attirer votre attention. Mais vous sembliez avoir décidé de m'ignorer. Je serais tentée d'ajouter : hélas ! »

Je la regardai. Pourquoi parlait-elle ainsi ? Je savais bien qu'elle ne disait pas la vérité. Elle poursuivit :

« ... Admettez que nous avons travaillé pendant six mois dans la même pièce et que vous ne m'avez jamais rien dit d'autre que bonjour et bonsoir. Vous étiez un peu arrogant, avouez-le. Lunatique, aussi, n'est-ce pas ? Peut-être aussi un peu trop gâté par les jolies femmes. La petite étudiante grecque que j'étais vous était complètement indifférente. »

Je me mis à réfléchir. Et si elle avait raison ? Et si c'était moi le fautif, après tout ? N'avais-je pas été un peu trop réservé, trop timide, trop lâche ? Peut-être même trop fier ?

« Le regrettez-vous ? me demanda-t-elle négligemment. Bon, vous voyez bien qu'il n'est pas encore trop tard. C'est le hasard qui nous a tous deux conduits ici. Peut-être allons-nous enfin devenir amis. Qu'en pensez-vous ? »

Avec un sourire timide, elle me tendit une main hésitante. Je la saisis et ne la lâchai plus. J'étais incapable de parler. Je me sentais comme quelqu'un qui a vu de ses propres yeux un miracle ou quelque chose qui vient contredire toutes les lois de la nature.

« ... Oui, dit-elle, alors, l'air songeur. Cette robe, cette robe bleue... J'en ai fait cadeau à ma femme de ménage. »

Elle se mit soudain à rire.

« ... Avez-vous entendu ce qu'a dit le prince Praxatine ? Lui et ses soixante-dix mille roubles ! Avez-vous compris ce qu'il racontait ? Non ? Je vais vous l'expliquer. »

Elle s'appuya légèrement contre moi, son bras toucha le mien.

« ... Voyez-vous, la révolution n'a rien pris au prince Praxatine. Ce qu'il possédait, il l'avait déjà perdu au jeu avant la guerre. Il jouait tous les soirs, il a livré son destin au hasard. Un soir, il jouait au poker dans son club avec trois jeunes messieurs, fils de gros industriels et de grands propriétaires terriens. Ce soir-là, il avait une chance de tous les diables. Pour la première fois de sa vie, il avait de la chance, il gagna cent quarante mille roubles. Ses partenaires étaient riches, il se dit donc, en acceptant leurs bons, que cet argent était sûr. Mais le lendemain, la tempête s'abattit sur le Palais d'Hiver, c'était la révolution d'Octobre. Personne ne pensait plus à ses dettes de jeu, à ce moment-là. La révolution prit à ces trois jeunes gens tout ce qu'ils possédaient. A l'heure qu'il est, ce sont des émigrés, ils luttent jour après jour pour subsister. Mais tous les mois, le prince Praxatine écrit à chacun d'eux une lettre, une lettre très courtoise dans laquelle il rappelle leur dette et demande s'il ne leur est pas encore possible de racheter les bons. L'un d'eux est bûcheron en Yougoslavie, le second donne des cours de langues à Londres et le dernier est vendeur de journaux à Berlin. En fait, tout cela n'a rien de très drôle. Parfois, le prince me fait pitié.

– Pourquoi avez-vous pitié de lui ? lui demandai-je. Il est heureux. Il vit un rêve, et de cette façon, sa richesse est plus assurée que n'importe quelle autre. Car ce que l'on possède en rêve, une armée entière d'ennemis ne saurait vous le prendre. Sauf le réveil... Mais qui serait assez cruel pour le réveiller ?

– Ce que l'on possède en rêve, une armée entière d'ennemis ne saurait vous le prendre, répéta-t-elle à mi-voix. C'est joli ce que vous dites là. »

Nous gardâmes le silence pendant un moment. Il commençait à faire froid, le soleil avait disparu derrière une masse de nuages gris. Le brouillard avançait en traînées denses dans les rues du village, lentement, comme un grand animal, il arrivait, maladroit, se glissant dans les moindres recoins, avalait les toits, les fenêtres, les portes et les clôtures.

« Il est tard, dit-elle soudain. Il est deux heures. Je dois me changer, je viens d'arriver de Berlin et le baron m'attend à trois heures. » Elle désigna les volets bleus. « C'est là que je travaille. C'est mon laboratoire. Vous voyez, il n'est pas difficile de me trouver. Et si je ne suis pas là, vous me trouverez là-haut, au manoir, chez le baron. Nous nous reverrons bientôt, n'est-ce pas? »

Elle me fit un signe de la main et disparut.

J'aurais pu être joyeux, j'aurais pu être heureux même, mais lorsque je me retrouvai seul, je fus tourmenté par une idée obsédante.

Au début, ce ne fut qu'une sorte de jeu, je m'amusai avec cette idée.

« Tout cela, me dis-je, a été si fugace et si beau! C'est comme si tout n'avait été qu'un rêve. » Et je répétai : « Comme si tout n'avait été qu'un rêve. » Je me mis alors à réfléchir à l'infime différence qui sépare une réalité passée d'un rêve. Et si tout n'avait effectivement été qu'un rêve? Je m'arrêtai : « Peut-être suis-je d'ailleurs encore en train de rêver. Tout cela – la neige qui recouvre la rue du village, la corneille, là-bas, sur la branche, le brouillard, les maisons, le soleil pâle de cette journée d'hiver –, tout cela n'est qu'un rêve, je vais me réveiller immédiatement, et tout aura disparu. Je vais me réveiller, là, tout de suite! »

C'était un jeu stupide que je jouais avec moi-même, mais il m'effraya et je me mis à courir. Une voix criait en moi : « Pas encore! Pas encore! » En un instant, je fus chez moi, les marches de l'escalier craquèrent sous mes pas, j'ouvris la porte et je sentis une odeur familière, cette odeur discrète du chloroforme qui ne quittait jamais ma chambre. Elle me fit du bien, elle chassa toutes mes folles pensées.

CHAPITRE DIXIÈME

MON voisin l'épicier, qui m'avait dit que le dégel allait arriver, était un piteux météorologue. En effet, le lendemain n'apporta pas le dégel, mais une pluie glacée mêlée de neige fondue qui dura des heures. J'étais transi jusqu'aux os lorsque je revins, vers dix heures du matin, de ma visite à la maison du garde forestier.

Je fis arrêter le traîneau devant l'auberge où je commandai un cognac pour me réchauffer. A mon grand étonnement, j'y trouvai le baron. Il s'entretenait avec le patron de la baisse des prix du bétail et du recul de la consommation de la bière. Dès qu'il m'aperçut, il vint à ma rencontre.

« Je voulais aller vous voir, docteur, dit-il. Je suis passé chez vous il y a une heure, mais l'on m'a dit que vous étiez sorti. Etes-vous allé chez le garde forestier? Et comment avez-vous trouvé votre petite patiente? Venez, docteur, je vous accompagne. »

Tandis que nous traversions la rue, j'informai rapidement le baron. L'état de la petite Elsie était satisfaisant. La fièvre et les maux de gorge avaient diminué et les boutons commençaient à disparaître.

« Ah bon? Déjà? dit le baron von Malchin. Depuis un an environ, la scarlatine se manifeste dans la région sous une forme extrêmement atténuée. Je vous assure, docteur, que pas un instant, je ne me suis fait du souci pour cette enfant. »

Cela, je le savais déjà, le baron ne m'apprenait là rien de nouveau.

Les patients qui étaient assis sur le banc, dans ma salle d'attente, se levèrent lorsque nous entrâmes. Ils étaient trois, deux hommes et une femme. Le baron leur lança un regard furtif avant de pénétrer avec moi dans mon cabinet.

« Avez-vous beaucoup de travail? me demanda-t-il après avoir pris place et s'être allumé un cigare.

– Ça va, dis-je. Pour l'instant ne viennent que les gens du village. Dans la région, on ne sait pas encore qu'un nouveau médecin est arrivé.

– Des cas intéressants?

– Non. Rien de particulier. La routine, la plupart du temps : des refroidissements, des signes de vieillesse, des enfants rachitiques. La femme de votre bedeau ne va pas bien. Elle souffre d'une myocardite avancée. Mais je suppose que vous êtes au courant.

– C'est vrai, je suis au courant », dit le baron von Malchin, qui semblait perdu dans ses pensées.

« Et vous, baron, qu'avez-vous? » lui demandai-je au bout d'un moment.

Il sursauta et me regarda.

« Moi? Rien. Je ne suis pas malade. J'ai une constitution d'acier. »

Il se tut à nouveau et envoya des nuages de fumée dans la pièce.

« ... Une constitution d'acier, répéta-t-il. Ecoutez, docteur, je connais à peu près tout le monde ici, au village. L'un des deux hommes qui est assis dans votre salle d'attente ne s'appelle-t-il pas Gause?

– En effet, je crois qu'il s'appelle bien ainsi.

– C'est un pauvre diable. Je l'emploie comme laboureur et batteur en grange. C'est une sorte de philosophe campagnard. Il médite sur l'au-delà et la justice céleste, le péché originel et l'immaculée conception, même s'il s'en défend. Vous a-t-il déjà dit que si le Christ est mort c'est parce qu'en l'an 33, le prolétariat n'était pas organisé ?

– Non, il ne m'en a pas parlé. Il vient me voir pour ses courbatures.

– Pour ses courbatures ? Ah bon... Il se plaint de courbatures. Et quels remèdes lui prescrivez-vous pour cela ?

– Je lui donne de l'aspirine et je lui prescris des bains chauds.

– Ah bon. C'est peut-être bien l'homme qu'il me faut. »

Le baron sombra à nouveau dans son mutisme.

Soudain, il se leva et se mit à faire les cent pas dans la pièce.

« ... Je n'aurais jamais cru que ce serait aussi difficile, dit-il en me regardant. Vraiment, je pensais que les choses seraient plus simples.

– Puis-je vous être utile en quoi que ce soit, baron ? »

Il s'arrêta.

« Oui, docteur, vous le pouvez. J'ai une faveur à vous demander; et ce sera à vous de décider si vous voulez m'aider. Ce n'est pas grand-chose. Bien sûr, je ne sais pas si... Enfin, dans le pire des cas, vous pourrez toujours refuser. »

De sa poche, il sortit un petit tube de verre et le déboucha. Il contenait apparemment quelques gouttes d'un liquide clair comme l'eau. Il le respira.

« L'odeur est repoussante, constata-t-il avec un sourire embarrassé. Pénétrante... Cela vous monte au nez. Mon assistante n'est pas parvenue à la supprimer. »

Il me tendit le tube.

« Qu'est-ce que c'est ? Et que dois-je en faire ? lui demandai-je.

– Gause, voilà l'homme qu'il me faut. Si vous lui

versiez ces gouttes dans un verre d'eau ou mieux, dans une tasse de thé...

– Je ne comprends pas bien. S'agit-il d'un remède contre les courbatures, d'un remède de bonne femme ?

– Oui. Ou plutôt, non, docteur. Je ne veux pas vous mentir. Cela n'a rien à voir avec les courbatures. C'est une expérience que je veux faire. Une expérience scientifique.

– Mais il m'est tout à fait impossible, en tant que médecin, de vous laisser utiliser l'un de mes patients comme cobaye pour vos expériences scientifiques ! m'écriai-je.

– Et pourquoi pas ? Nous sommes tous deux des scientifiques. Nous nous entraidons. Je me porte garant de l'inocuité de ce produit pour l'organisme. Ses effets sont d'ordre strictement psychique, des effets d'ailleurs passagers. Il donnera peut-être à cet homme un peu de bonheur, pendant quelque temps, c'est tout. Pourquoi ne m'apporteriez-vous pas votre aide ?

– Est-ce un opiacé ?

– Quelque chose de ce genre. Si l'expérience réussit, je vous en dirai davantage. Je vous expliquerai tout. Voyez-vous, je pourrais très bien offrir un verre de schnaps à cet homme. Mais cette odeur infernale et ce goût de moisi le rendraient méfiant. Un médicament que vous lui administreriez, en revanche, pourrait très bien avoir mauvaise odeur. » Il se retourna et regarda en direction de la porte. « Etes-vous sûr qu'on n'entend rien de ce qui se dit ici, à l'extérieur ?

– On n'entend rien. Mais je ne sais vraiment pas si... »

Il m'interrompit :

« Si vous pouvez me faire confiance ? C'est vrai, vous êtes obligé de me croire sur parole. Mais ne pensez-vous pas que j'en fais autant ? Je parle au fils de mon défunt ami, il me semble. Je travaille pour une idée qui fut la sienne. Il m'a aidé dans cette tâche. Je sais que j'évoque une ombre imposante et qui vous est chère. Mais tout ce qui adviendra, adviendra également pour lui, à sa mémoire en quelque sorte. Je suis sûr qu'il vous aurait dit : " Fais-le. " »

Sous l'empire de ces mots, j'abandonnai toute résistance. Je répondis à voix basse :

« Je le ferai. »

Le baron saisit ma main et la serra.

« Je vous remercie, s'écria-t-il. Je vous suis très obligé. Vous me rendez un immense service. Voyez, c'est très simple : il suffit que vous versiez tout le contenu – il n'y a guère que trois ou quatre gouttes – dans une tasse de thé. Une chose encore, si je puis me permettre : dites ensuite à cet homme que je dois lui parler. Je l'attendrai demain, à dix heures précises. Dites-lui cela, je vous prie. »

Sur ces mots, il partit, et je ne me rendais pas encore compte à quel point je regrettais déjà ma promesse.

Il me manque à peu près tout pour faire un bon médecin, sauf une chose : la conscience professionnelle. A peine le baron eut-il refermé la porte derrière lui que les scrupules s'emparèrent de moi. Je fus la proie d'une foule de réticences, de doutes et de remords.

« Comment ai-je pu faire une telle promesse, me demandai-je. Comment le baron a-t-il pu me demander une chose pareille? Je suis médecin. Ai-je le droit d'administrer à un patient un produit sur la composition, le dosage et les effets duquel je ne sais pratiquement rien? Cela ne revient-il pas à abuser de la confiance aveugle que me fait mon patient? Non, je ne peux tenir la promesse que le baron m'a soutirée par la ruse. Je n'ai pas le droit. »

Mais ensuite, la voix de la lâcheté et de la paresse se fit entendre en moi. Devais-je vraiment reprendre ma parole et décevoir le baron? « Ce produit n'est absolument pas toxique pour l'organisme, il me l'a dit et il en assume l'entière responsabilité. Et après tout, le baron est un savant, un chercheur, il peut légitimement s'attendre à une certaine compréhension de ma part. »

Mais une voix s'éleva en moi : « Non! Non! Non! Je n'ai pas le droit de faire cela. » Et pour mettre un terme à mes doutes, pour échapper à l'avenir à toutes les tentations, je pris le tube et, sans réfléchir, je le brisai et versai son contenu sur le sol.

Une odeur âcre se répandit dans la pièce. Je faillis avoir un malaise.

« Je n'aurais pas dû faire cela, me dis-je. Je n'en avais pas le droit. J'aurais dû rapporter ce produit au baron et lui dire : " Je vous rends ceci, je ne peux tenir ma promesse. " Mais le détruire... Non, je n'en avais aucun droit. » Que pouvais-je faire? Devais-je aller voir le baron et lui avouer ce que j'avais fait? Non. J'étais bien trop lâche pour cela.

Je trouvai une solution, une solution pitoyable, déplorable, hypocrite.

Je pressai le jus d'un demi-citron dans un verre et j'y ajoutai quelques gouttes de teinture d'iode. Le tout avait un goût exécrable et pouvait au pire provoquer quelques maux d'estomac, peut-être pas même cela. « Et le baron? me dis-je. Il supposera probablement que son expérience a échoué. Ce n'est pas mon affaire. »

Je fis entrer l'homme dont le baron avait parlé. C'était un homme de grande taille, maigre, qui marchait le dos légèrement courbé. Mal rasé, des yeux méfiants et – effectivement – un visage de rêveur, je le remarquai immédiatement.

Je lui montrai le verre.

« C'est pour vous. Vous allez boire cela immédiatement. Allez! Ce n'est pas si terrible que cela. D'un trait. Voilà. Avant de dormir, vous reprendrez une aspirine. Un bain chaud matin et soir. Ah oui! Avant que je ne l'oublie : M. le baron doit vous parler. Il vous attend demain à dix heures. Soyez ponctuel. »

Il laissa tomber son chapeau, le ramassa et le posa sur

une chaise. Ce que je venais de lui dire semblait l'inquiéter. Il se passa la main sur sa barbe :

« Il faut que j'aille voir M. le baron? bredouilla-t-il. Vous êtes sûr qu'il ne s'agit pas de M. l'inspecteur?

– Non. C'est M. le baron qui désire vous parler personnellement. »

Il semblait atterré.

« M. le baron? Que peut-il bien vouloir me dire? C'est vrai, M. l'inspecteur me convoque de temps en temps pour le travail, mais M. le baron... Depuis cinq ans que je suis ici, il ne m'a encore jamais... Je suis sûr que ce sont les voisins qui lui ont... Pour un peu de bois! Tout le monde le fait! »

Je tentai de le tranquilliser.

« Non, je vous assure que ce n'est pas à cause du bois. »

L'homme devenait de plus en plus nerveux.

« Ah bon? Ce n'est pas parce que j'ai... Dans ce cas, je peux facilement imaginer la raison. Il m'a vu assis, là dehors, et m'a regardé d'une drôle de façon. Mais comment l'a-t-il appris? Je vous jure, docteur, et je le jurerais même devant un tribunal, que ce n'est arrivé qu'une seule fois. Le soir de Noël, nous n'avions pas une bouchée de viande à la maison, et ma femme m'a dit... »

Il ne termina pas sa phrase. Il saisit promptement son chapeau et se précipita hors de la pièce.

Ce soir-là, je me rendis chez Bibiche.

Je la trouvai devant son microscope. Son repas, qu'elle n'avait pas touché, était resté sur la table, entre des creusets, des éprouvettes et des tubes à essai.

« C'est gentil de penser à moi, dit-elle. Cela me réconforte que vous soyez venu. Pauvre Bibiche! Le travail... Ce travail ne me lâche pas, aujourd'hui. »

Elle vit ma déception et sourit. Mais son visage retrouva immédiatement son sérieux.

« ... J'ai beaucoup changé depuis un an, n'est-ce pas?

Je ne suis plus celle que j'étais. Comment vous expliquer? Je suis devenue le réceptacle d'une idée insolite et grande. Elle n'est pas de moi, je le sais, mais elle m'investit entièrement, elle ne me laisse pas en paix, je la sens couler dans mes veines, elle se mêle à toutes mes pensées, elle a pris possession de moi. »

Elle sourit à nouveau.

« ... Cela a peut-être l'air un peu trop pompeux. Je ne suis qu'une petite collaboratrice, mais ce travail s'est emparé de tout mon être. Pouvez-vous comprendre cela? Ne prenez donc pas cet air sombre. Ne soyez pas fâché. Je suis si contente que vous soyez venu. Et demain? Auriez-vous envie de faire une promenade avec moi, demain? Une balade d'une heure, avant le petit déjeuner. A huit heures. Frappez à ma fenêtre. Je serai prête. C'est sûr. »

Je ne rentrai pas chez moi. Je m'arrêtai à quelques pas de sa maison, les yeux rivés sur les fenêtres éclairées.

Le baron arriva à neuf heures. Il ne me vit pas. C'est Bibiche qui vint lui ouvrir elle-même. Ensuite, quelqu'un ferma les volets.

Six heures durant, j'attendis dans la neige et le froid. Le baron ne quitta la maison qu'à trois heures du matin.

Je passai le reste de la nuit dans mon lit, sans pouvoir trouver le sommeil.

A huit heures, je frappai à sa fenêtre. Pas de réponse. Je frappai à nouveau.

La porte s'ouvrit, je vis sortir un petit garçon de onze ans qui portait deux bidons de lait.

Il me regarda d'un air méfiant.

« Mademoiselle dort, me dit-il. On ne doit pas la réveiller. »

Pour donner plus de poids à ses paroles, il posa un

doigt sur sa bouche. Puis il prit ses jambes à son cou et disparut aussitôt.

Pendant quelques instants, à travers l'épais brouillard, j'entendis encore le tintement de ses deux bidons de lait.

CHAPITRE ONZIÈME

JE crois que le jour où j'ai brisé le tube et répandu son contenu sur le tapis, j'ai laissé passer une occasion qui ne s'est jamais représentée par la suite : l'occasion d'intervenir de façon décisive dans le cours des événements. J'ai le sentiment confus que les choses auraient peut-être pris une tout autre tournure si j'avais exaucé le vœu du baron von Malchin. Je ne l'ai pas fait, et il me semble que je me suis ainsi exclu moi-même de tout ce qui s'est produit ensuite. A l'heure qu'il est, je me rends compte que je n'ai été jusqu'au bout qu'un simple spectateur – profondément troublé par tout ce que j'apprenais et que je voyais, mais n'y prenant aucune part active. L'ironie du sort a voulu que ce soit précisément moi qui me retrouve dans cette chambre d'hôpital, victime du tournant monstrueux et inexplicable des événements, blessé, fiévreux, et à moitié paralysé.

Je n'ai pas le droit de me plaindre : je suis vivant. Mais je ne sais pas quel sort les autres ont subi. Le baron a-t-il échappé à l'ouragan que fut le dénouement ? Et qu'est-il advenu de Federico ? Et elle ? Où est-elle allée se réfugier ? Je n'ai en effet jamais douté qu'elle vive et se trouve en sécurité.

Il y a quelqu'un ici qui pourrait me donner la réponse à ces questions. Constamment, Praxatine entre dans ma chambre à pas feutrés, vêtu de sa blouse de coutil, un balai à la main, et il me jette des regards à la dérobée, par-dessus l'épaule. A voix haute, j'ai dit à l'infirmier que j'avais envie de faire une partie de trente-et-un, mais il a fait semblant de ne pas m'entendre. C'est un lâche, sa lâcheté n'a pas de bornes, et je le hais comme je l'ai haï naguère, lorsque je l'ai trouvé inopinément chez Bibiche.

Ce jour-là, il me salua, m'invita à m'asseoir et mena la conversation. C'est cela qui m'irrita le plus : il se comportait comme s'il était chez lui, comme si j'étais son hôte et non celui de Bibiche. A part lui, il y avait aussi le curé, un vieillard au visage osseux et aux cheveux blancs.

« Vous avez devant vous un homme qui vient de passer une journée difficile, dit le Russe pendant que Bibiche me servait du thé. J'ai toutes les raisons de le dire, c'est la pure vérité. Le baron a des hôtes, des invités étrangers. Nous recevons souvent des visites de l'étranger. Mais savez-vous ce que cela signifie pour moi? Je n'ai pas une minute pour souffler.

« " Arkadi Fiodorovitch! me dit le baron, mon bienfaiteur. Occupez-vous un peu du *lunch* et du *dinner*.

« – Bien, dis-je. Je vais m'en occuper. Je préparerai même la salade de poissons de mes propres mains, car je n'ai pas confiance dans le personnel de cuisine. "

« Mais qu'est-il arrivé en fait? Le baron, le petit père, se retira avec ses hôtes en conférence, et je ne pus le voir de toute la journée. Il me laissa tout le travail. Ces jours-là, voyez-vous, je ne peux qu'approuver mon grand-père qui disait toujours que c'est le travail qui abaisse l'homme au rang de l'animal. Lorsque j'allai chercher ce Sir Reginald à la gare... »

Bibiche lui coupa la parole :

« Arkadi Fiodorovitch, vous savez bien que le baron n'aime pas que...

– Oui, je sais, dit le Russe. Quand vous froncez les sourcils, Kallisto, quand vous m'en voulez, c'est comme si le soleil se couchait en plein jour. Je sais que ces messieurs désirent garder l'anonymat. Mais il existe certainement une bonne dizaine de Sir Reginald. »

Il s'adressa de nouveau à moi :

« ... Vous me regardez d'un air bien sévère, docteur, avec cet air scrutateur du savant. Cette manière que vous avez de me dévisager est vraiment inquiétante. Je suppose que vous vous dites : front bas, pommettes saillantes, voilà donc un être faible ! C'est bien ce que vous pensez, n'est-ce pas ? Il est vaniteux et peu fiable. Il est possible que j'aie été ainsi, docteur, par le passé, quand je vivais encore dans l'insouciance et que j'aimais la vie. Mais qu'en est-il aujourd'hui ? La vie ne m'a pas épargné. Elle m'a donné le fouet. J'ai complètement changé. Aujourd'hui, je pense presque exclusivement aux autres, et c'est après seulement que je commence à penser à moi-même. Ainsi, en ce moment par exemple, vous voir assis là si morose m'accable plus que je ne saurais le dire. Vous n'avez même pas bu votre thé. Kallisto, nous devons faire quelque chose pour divertir nos hôtes. Organisez ce petit jeu. »

Bibiche m'effleura la main et murmura :

« Qu'avez-vous ? Etes-vous de mauvaise humeur ? »

Praxatine avait déjà sorti le jeu de cartes.

« Mon père, dit-il en s'adressant au curé, que diriez-vous d'une partie de trente-et-un ? Juste pour nous distraire un peu. Vous n'allez pas refuser. C'est moi qui tiendrai la banque.

– Etes-vous à ce point fatigué, ou bien êtes-vous contrarié ? me demanda Bibiche à mi-voix.

– Je vous prie de m'excuser, je ne jouerai pas, déclara le curé. Autrefois, au Cerf blanc, je jouais de temps en temps à l'écarté avec mes paysans, et parfois, je faisais une partie de piquet avec M. le baron. Mais maintenant...

– Moi aussi, je joue au piquet, dit le Russe avec empressement.

– Pour dire la vérité, mes moyens ne me permettent plus de prendre le risque de perdre au jeu. Et ce même si nous fixons des mises très basses. Je suis à un sou près. »

Le curé disait la vérité. J'avais entendu dire qu'avec ses revenus, il subvenait aux besoins de la nombreuse famille de son frère, devenu chômeur. Pour augmenter ses revenus, il avait laissé presque toutes les pièces de son presbytère à Bibiche et s'était retiré dans la mansarde. Dans la pièce qui servait de laboratoire à Bibiche, un crucifix et une *Sainte Famille* veillaient sur les tubes électroniques, du papier de tournesol, des tampons d'ouate et des coupelles.

« Monsieur le curé, si vous perdez, vous pourrez me signer un bon, proposa le Russe.

– Ce serait abuser de votre bonté, dit le curé en riant doucement. Un bon portant ma signature aurait peut-être encore moins de valeur que la feuille de papier vierge. Non, vraiment, je n'ai pas envie de jouer. »

Le Russe ramassa les cartes.

« Reprenez au moins une part de gâteau, monsieur le curé, dit-il. Il est fourré au lilas pilé et aux mûres. Vous aussi, docteur, vous devriez en goûter, vous m'honoreriez. C'est une de mes créations, l'œuvre de mes mains. Vous devez savoir, docteur, que nous fêtons aujourd'hui une sorte d'anniversaire.

– Oui, c'est une petite fête improvisée, confirma le curé.

– En effet, reprit le Russe, voilà aujourd'hui un an exactement que Kallisto est venue s'installer dans cette région perdue. Kallisto, ne vous ai-je pas immédiatement offert mon âme lorsque je vous ai vue pour la première fois ?

– Si, vous me l'avez offerte immédiatement, dit Bibiche. Et elle doit encore se trouver sous une cloche de verre au laboratoire si elle ne s'est pas envolée depuis. »

Il y avait quelque chose dans ses paroles qui me faisait honte, qui me fit monter le sang à la tête : ne lui avais-je pas moi aussi « offert mon âme » la première fois que je l'avais vue? Dès le premier jour, toutes mes pensées avaient tourné autour d'elle, elle le savait, je le lui avais avoué. Auparavant, j'avais eu une attitude fière et réservée à son égard. Et qu'en était-il désormais? Sans le moindre effort, par quelques mots seulement, par un regard qu'elle m'avait accordé, elle avait réduit ma fierté à néant. Elle me voyait sans défense, et cela lui plaisait. Parfois, elle aimait aussi me faire croire que je ne lui étais pas indifférent. Mais elle ne me concédait ce droit que le temps d'un bref moment, elle s'échappait habilement l'instant d'après, comme un prestidigitateur. Pourquoi m'avait-il fallu autant de temps pour comprendre tout cela? C'était moi, et non le prince Praxatine, que ses railleries visaient.

Je me levai. Une vague de tristesse et d'amertume déferla en moi.

« Il s'agit donc d'une fête privée, dis-je. Dans ce cas, je ne veux pas vous déranger plus longtemps. »

Elle me regarda l'air surpris.

« Vous voulez nous quitter? Mais pourquoi? Restez donc! Vous ne pouvez pas! Même si je vous le demande? »

Je refusai de m'attarder et pris congé. Je constatai non sans une certaine satisfaction que Bibiche n'insistait pas pour me retenir.

Chez moi, je me jetai sur le canapé. Tout semblait avoir changé, j'étais troublé, perplexe et mécontent de moi. Je me remémorai chaque parole que Bibiche avait prononcée, je me torturai l'esprit. Ma tête me faisait mal, peut-être avais-je de la fièvre. « Et si je vous le demande », avait dit Bibiche, mais j'étais parti tout de même, je l'avais offensée, insultée. « Etes-vous de mauvaise humeur? » Désormais, elle s'était lassée de ma mauvaise humeur. « Et si je retournais la voir maintenant ? Avec quelques fleurs... " Je tenais simplement à vous offrir ces roses, Bibiche, parce qu'il y a aujourd'hui un an que vous êtes arrivée ici. C'est uniquement pour cette raison que je suis parti." Mais où peut-on trouver des roses ici, en plein hiver ? Là-bas, dans le vase, il y a bien des fleurs artificielles, mais elles sont laides, couvertes de poussière. Pourquoi le baron ne possède-t-il pas de serre ? S'il en avait une, à la place du laboratoire... Mais dans ce cas, Bibiche ne serait pas ici. Du lilas... J'ai vu du lilas quelque part, aujourd'hui, du lilas blanc. Où était-ce ? Mais non, c'était du lilas pilé, sa propre création... Et si je lui offrais mon âme ? Elle l'attraperait, la placerait sous une cloche de verre et se mettrait à rire... »

Je sursautai lorsqu'on frappa à la porte. C'était le petit garçon que j'avais vu sortir du presbytère avec ses bidons de lait. Il entra, jeta un coup d'œil tout autour de la pièce et me vit enfin allongé sur le canapé.

« Bonsoir. La demoiselle vous envoie ceci », dit-il en me tendant un billet plié.

Je me levai d'un bond.

« Vous m'en voulez, écrivait-elle, et je ne sais pas pourquoi. Pauvre Bibiche ! Il faut que je vous parle, aujourd'hui même. Je dînerai chez le baron, attendez-moi à onze heures devant la grille du parc. Sans faute. Je ne peux malheureusement pas venir plus tôt. »

Les mots « sans faute » avaient été barrés et remplacés par la mention « s'il vous plaît ».

Le vent balayait la rue et criblait mon visage de neige granuleuse. J'avais froid. J'attendais. Cette attente dura un quart d'heure. Onze heures sonnèrent. J'entendis des bruits qui venaient du parc, la neige crissait et craquait, quelqu'un ouvrit la grille.

« Qui est là? fit une voix tandis que le faisceau lumineux d'une lampe de poche remontait jusqu'à mon visage. C'est vous, docteur ? Vous faites une promenade nocturne en cette saison ? » me demanda le baron von Malchin.

A côté de lui, l'air malheureux et accablé, Bibiche émergea de l'obscurité. Elle me jeta un regard plein de détresse, comme un enfant qui craint d'être battu. « Il a insisté pour m'accompagner, je n'y peux rien », pouvais-je lire dans ses yeux.

« Venez, docteur, nous allons raccompagner cette enfant chez elle », dit le baron.

Pas un instant je ne fus fâché. Au contraire, j'étais heureux de voir Bibiche et de savoir que tout était à nouveau comme avant entre nous. Elle s'en rendit compte et me prit le bras.

« Parfois, vous êtes vraiment insupportable », me dit-elle tout bas, mais d'une voix décidée.

Pendant que nous marchions, le baron fut très bavard comme à son habitude.

« Il me faut encore vous remercier, docteur, de m'avoir permis de réaliser ma petite expérience. »

Une sensation désagréable s'empara de moi.

Le baron me remerciait alors que je n'avais pas tenu parole, pis, que je l'avais trompé. Peut-être aurais-je dû, à cet instant, lui dire toute la vérité, mais il me sembla préférable de me taire.

« L'homme est-il venu vous voir ? lui demandai-je.

– Oui. Il est venu en récitant des versets de la Bible, il citait Job, les Psaumes et les Epîtres aux Corinthiens. Il s'accusait d'avoir volé du bois dans ma forêt et d'avoir abattu un cerf le soir de Noël.

– Allez-vous déposer plainte contre lui ?

– Pour qui me prenez-vous, docteur ? Je ne suis pas un monstre. C'est à peu près le résultat auquel je m'attendais. Il est venu me voir et s'est confessé. Je n'étais pas sûr que cette expérience réussirait sur un sujet isolé. Mais ce fut un succès. »

Nous étions déjà arrivés au presbytère. Bibiche était appuyée au montant de la porte et luttait contre le sommeil.

« Etes-vous fatiguée? lui demanda le baron.

– Exténuée, répondit-elle d'une voix plaintive. Pendant que nous marchions, déjà, je dormais debout. Je n'ai pas l'habitude de boire ces vins lourds comme... »

Elle eut une hésitation avant de poursuivre :

« ... comme le plus jeune de vos deux invités. »

Le baron sourit.

« Vous pouvez dire sans crainte qui vous avez rencontré chez moi. Le premier de mes deux hôtes a été gouverneur d'une colonie de la Couronne britannique. Aujourd'hui, c'est une personne privée, et il a pris la tête du mouvement légitimiste anglais. Quant à l'autre... La jeune dame ici présente, qui porte sa main devant sa bouche afin qu'on ne remarque pas qu'elle bâille, cette jeune dame vous cache qu'elle a dîné ce soir avec le roi d'Angleterre.

– Avec le roi d'Angleterre? m'exclamai-je, au comble de l'étonnement, en regardant Bibiche.

– Oui, avec Richard XI, dit-elle. Je suis morte de fatigue. Bonne nuit.

– Mais le roi d'Angleterre ne s'appelle pas Richard XI, que je sache, m'écriai-je.

– Richard XI, de la maison des Tudor, expliqua le baron. En ce moment, il est professeur de dessin dans une école du Sussex. Mais pour les légitimistes d'Angleterre, il est le roi légal. »

CHAPITRE DOUZIÈME

MA rencontre avec le baron von Malchin, à la lisière du bois, alors que je revenais de la maison du garde forestier au village, ne pouvait être due au hasard. C'était de bon matin, le baron était allé à la chasse et avait tué deux gélinottes et un autour, mais ce jour-là, déjà, j'avais eu l'impression très nette qu'il m'avait attendu non loin de l'endroit où le sentier quitte la forêt. Je connais aujourd'hui l'explication : plus ses recherches approchaient de leur terme, plus il éprouvait le besoin d'en parler. Quand on se condamne soi-même au silence, l'équilibre psychique est menacé. Le baron *devait* parler.

Pendant une année entière, il avait partagé son secret avec Bibiche, sa collaboratrice. Auparavant, il avait probablement parlé de certaines choses avec le curé. Mais celui-ci l'avait déçu. Le baron s'était heurté chez le vieil homme à une résistance tranquille qu'il ne parvint pas à surmonter. Il cherchait quelqu'un devant qui il pourrait évoquer une fois de plus l'imposant édifice de ses projets. Dès le premier jour, il avait eu confiance en moi, qui étais le fils de son ami disparu.

Je sortis de la forêt. Le ciel était limpide, d'un bleu pâle. Les aiguilles glacées scintillaient sur les branches des pins dans la lumière blafarde du soleil. De temps en temps, on entendait des aboiements de chiens qui venaient du village dont on ne distinguait pas encore le clocher carré.

Quand le baron m'aperçut, il vint à ma rencontre, traversant la prairie marécageuse, son fusil de chasse à la main.

« Bonjour, docteur! Ne continuez pas dans cette direction, vous ne tarderez pas à vous enfoncer dans la neige jusqu'aux genoux. Venez, je vais vous montrer un meilleur chemin. »

Il parla d'abord de ses hôtes, repartis la veille, et que je n'avais aperçus qu'une seule fois, puis de la chasse. Pendant un bon moment, il ne fut question que de chiens à poils ras, de chasse, de chevreuils et de grouses d'Ecosse. Je ne sais plus très bien comment nous en vînmes à parler politique.

Le baron von Malchin se déclara partisan de la monarchie et défenseur de la légitimité, qu'il définissait comme étant liée à une volonté supérieure. La Providence, expliqua-t-il, se manifestait de façon plus efficace dans l'hérédité que dans la volonté du peuple, à supposer que celle-ci existât, ce qu'il fallait encore lui démontrer. Pour lui, la monarchie ne nécessitait aucune justification sociologique, qu'elle se référât à notre époque ou qu'elle remontât à une période quelconque du passé. Elle n'était pas tributaire du temps, elle n'était pas non plus pour lui un régime politique meilleur que les autres, mais tout simplement le seul régime légitime. Sa foi en elle faisait partie intégrante de sa religion.

Ces conceptions étaient défendables et ne me surprenaient pas particulièrement de la part d'un compatriote. Mais ensuite, comme s'il s'agissait pour moi d'une chose évidente et familière, il ajouta négligemment :

« Si l'Allemagne, si l'Europe a un avenir, il est lié à l'Empire de droit divin et au retour du Saint Empire romain germanique.

– Que dites-vous là? m'écriai-je, sous le coup de la surprise. Vous rêvez d'une restauration du Saint Empire romain germanique ? Ne vous suffit-il pas qu'il ait été la risée du monde entier pendant des siècles ? »

Il en convint.

« C'est vrai, le monde entier s'est moqué de lui pendant des siècles ou plus exactement, sous le règne des Habsbourg. Pendant cette période, il avait tout à fait perdu sa signification, son contenu et sa force. Il ne peut ressurgir que sous une dynastie élue de la Providence et sacrée par l'Histoire.

– Vous croyez donc que si les Hohenzollern revenaient... »

Il m'interrompit :

« Les Hohenzollern ? Où votre esprit va-t-il s'égarer, docteur ? Les margraves de Brandebourg et les rois de Prusse étaient des étrangers dans leur propre pays. L'empire des Hohenzollern est un chapitre révolu de l'histoire de l'Allemagne. Les Hohenzollern ? Mes rapports avec le dernier héritier de la couronne impériale n'ont jamais dépassé le stade d'un attachement purement personnel. »

Il s'arrêta pour écouter le cri rauque d'un geai qui venait des profondeurs de la forêt. Puis il reprit, à voix basse, comme se parlant à lui-même :

« ... Ce vieil empire plein de rêves et de chansons... Avez-vous donc oublié que sous les Staufen, il était le cœur du monde ? Les Staufen n'étaient pas rois par la grâce des princes. »

Nous avions repris notre marche.

« Non, dis-je. Mais les Staufen sont morts. Leur lignée – la seule véritablement impériale et qui vit le jour à l'époque d'Auguste – est éteinte.

– La lignée des Staufen n'est pas éteinte, dit le baron après un court silence. Elle est vivante, et un jour, conformément à sa vocation, elle se saisira de la couronne et du manteau, même si, depuis, on a vendu ces insignes sacrés en Amérique. »

Je le regardai. Sur son visage apparut à nouveau cette

expression passionnée et fanatique que je connaissais déjà. Il pouvait être dangereux de lui chercher querelle à ce moment-là. Et pourtant, je ne pus m'empêcher de dire :

« A mon tour, baron, de vous demander où va s'égarer votre esprit. Il est bien possible qu'il existe encore un Tudor quelque part en Angleterre, mais la lignée des Staufen a disparu depuis plus de six cents ans dans un océan de sang et de larmes. " Que les cieux jubilent, que la terre exulte, puisque le nom et le corps, puisque les héritiers et la descendance du roi de Babylone sont exterminés ", a dit le pape. Le roi de Babylone, c'était Frédéric II, le fils de Henri et de Constance, le dernier Staufen qui porta la couronne impériale.

– Frédéric II, qu'on appelait l'émerveillement du monde et son rénovateur miraculeux... C'est pour lui que Constance quitta son couvent. Un rêve lui avait annoncé qu'elle mettrait au monde " le brandon, le flambleau du monde, le miroir sans fêlure ". Tous les princes du globe vinrent s'incliner devant lui. Quand il mourut, le monde perdit son soleil, dit le chroniqueur, et selon la croyance populaire, il continue de vivre dans le Kyffhäuser. Il avait cinq fils.

– Oui, cinq fils. Henri, le fils d'Isabelle d'Angleterre, est mort à l'âge de quinze ans. L'autre Henri, le fils de la princesse d'Aragon, s'est suicidé.

– Henri, celui qui trahit l'Empire, intervint le baron. " Le garçon aux boucles brunes qui chantait le matin et pleurait le soir, dans son cachot." Il s'est jeté dans la mer du haut des murailles de sa prison.

– Le troisième fils, poursuivis-je, Conrad, le roi romain, est mort de la peste à l'âge de vingt-six ans. »

Le baron secoua la tête.

« Il n'est pas mort de la peste. Il est mort empoisonné. Dans ses dernières heures, il eut une vision de l'avenir. " L'empire se flétrit, et il sombrera dans l'oubli de la mort. " Quelle prophétie ! »

Nous traversâmes un champ. Les chaumes gelés cliquetaient comme du verre sous nos pieds. Un grand oiseau s'éleva dans les airs devant nous et disparut à tire-d'aile au-dessus de la forêt enneigée.

Je rompis le silence :

« Le quatrième fils de l'empereur s'appelait Manfred. Il a trouvé la mort lors de la bataille de Bénévent.

– Manfred, auquel ses chansons faisaient oublier son royaume... On ne retrouva son corps que plusieurs jours après sa mort parmi les nombreux cadavres qui gisaient sur le champ de bataille. On le reconnut à ses cheveux blonds et à sa peau, blanche comme neige. *Biondo e bello e di gentile aspetto,* voilà ce qu'en dit Dante, et dans le *Purgatoire,* il le décrit, montrant en souriant ses blessures et se lamentant sur la soif de vengeance du pape qui refusa qu'il repose sous le pont du Bénévent. Manfred laissa deux fils, blonds comme lui, qui moururent dans les geôles de Charles d'Anjou après avoir passé trente ans dans les fers.

– Et Enzio, dis-je en conclusion, Enzio, le fils favori de l'empereur, est mort prisonnier des Bolognais. L'empereur leur avait proposé comme rançon un anneau d'argent qui fît le tour de la ville, et il leur avait rappelé que la fortune est capricieuse, qu'elle porte souvent les hommes aux nues pour mieux les broyer finalement dans leur chute. Mais les Bolognais ne libérèrent pas le fils de l'empereur. " Nous le tenons et nous le garderons ", répondirent-ils. " On a vu souvent un petit chien s'attaquer au sanglier. " Enzio était le dernier des Staufen.

– Non, dit le baron. Enzio n'était pas le dernier représentant de cette lignée resplendissante. Malgré sa captivité, il resta beau et gracieux et trouva une maîtresse : la fille cadette du comte gibelin Niccolò Ruffo partagea sa couche en secret. Il l'épousa une nuit de carnaval, tandis que ses geôliers s'amusaient dans les rues. Il mourut trois jours plus tard, et la jeune fille quitta la ville. C'est à Bergame qu'elle mit au monde un garçon. »

Nous étions arrivés à la grille du parc, je vis les bottes de paille des rosiers, le puits, la terrasse et le toit d'ardoise bleutée du manoir. J'en fus étonné, car je n'arrivais pas à me souvenir du chemin que nous avions emprunté pour rentrer au village.

Nous dûmes attendre un moment : deux chars à bœufs s'étaient accrochés et barraient le passage. Les roues crissaient, les animaux beuglaient, les charretiers juraient, et le baron von Malchin continuait de parler dans tout ce brouhaha :

« Le pape connaissait l'existence du fils d'Enzio. Clément VI dit : " Nous ne voulons pas nous souvenir de lui par miséricorde et par amour chrétien. " Les Staufen vécurent à Bergame pendant des siècles – cachés et miséreux. Ils se transmirent pendant des générations le secret de leur origine ainsi que deux cahiers dans lesquels le roi Enzio avait écrit ses chansons et ses romances. L'homme que j'avais cherché et trouvé à Bergame, il y a douze ans, les avait en sa possession. Il était menuisier de son état, et comme il était pauvre, il me laissa son fils que j'emmenai avec moi. »

Le baron von Malchin désigna les murs de grès rose, qu'on apercevait derrière les deux charrettes, et auxquels s'accrochaient les sarments dénudés d'une vigne vierge.

« Voyez-vous cette demeure? C'est le *Kyffhäuser*. C'est là que l'empereur secret vit dans l'attente. Je lui ouvre la voie. Et un jour, je dirai au monde les mots que le serviteur sarrasin de Manfred a adressés autrefois aux habitants de la ville rebelle de Viterbo : " Ouvrez vos portes! Ouvrez vos cœurs! Voyez, votre seigneur, le fils de l'empereur, est venu! " »

Le baron von Malchin se tut et suivit du regard les deux charrettes qui s'étaient enfin dégagées et qui descendaient lentement, en grinçant, la rue du village. Puis, sans me regarder, il me dit avec un sourire timide, embarrassé presque, et d'une voix transformée :

« Vous le trouverez là-bas, dans le pavillon du jardin. C'est là qu'il travaille. A cette heure, d'ordinaire, il a son cours de français. »

CHAPITRE TREIZIÈME

J'AI réfléchi longuement à ce que je ressentis lorsque le baron von Malchin me révéla ses projets étonnants dans la rue du village. Il semble que lorsqu'il m'eut quitté, je sois resté tout d'abord complètement fasciné par ce que j'avais entendu. J'avais senti dans ses propos une volonté d'une puissance hors du commun, et dès ce moment, je devais percevoir confusément que cette volonté s'appuyait sur des forces ou des capacités certes réelles, mais qui m'étaient inconnues. Pas un instant je n'avais eu l'impression que le baron était un original ou un rêveur, au contraire, je pressentais un danger qui émanait de lui et qui menaçait ma personne et le monde dans lequel j'avais vécu jusque-là. Je refoulai cette inquiétude grâce aux doutes et aux réticences qui se manifestèrent en moi, et pendant un moment, mon esprit fut agité par des pensées et des idées confuses, absurdes et contradictoires. Je me rendis compte tout à coup que j'avais de la fièvre.

La décision que je pris alors fut une tentative d'échapper à ces pensées. Tandis que je cherchais distraitement et nerveusement le thermomètre – je grelottais de froid malgré le feu qui brûlait dans la cheminée –, les propos de l'instituteur me revinrent en mémoire et j'entendis à nouveau sa voix me dire : « Vous êtes trop crédule. Si vous désirez connaître la vérité sur qui que ce soit, ici, au village, c'est à moi qu'il faudra vous adresser. »

Je ne pouvais pas rester plus longtemps dans ma chambre, il fallait que je le voie, que je lui parle. Dans la rue, je demandai où il habitait. Une petite fille me montra sa maison.

Je le rencontrai dans l'escalier, vêtu d'un imperméable et coiffé de son chapeau de feutre.

« Mais c'est notre bon docteur ! s'écria-t-il d'une voix forte. Approchez, très cher ! Approchez ! Cela fait deux jours que j'attends votre visite. Non, vous ne me dérangez pas, pas du tout. C'est dimanche, aujourd'hui, et je peux disposer de mon temps comme bon me semble. Dagobert, nous avons de la visite. Je savais bien que vous alliez venir. »

Il me prit par la main et m'entraîna dans une pièce où régnait une odeur d'alcool à brûler et de tissu mouillé. Un herbier était ouvert sur la table au milieu d'algues, de lichens et de mousses. J'aperçus l'extrémité d'un chausse-pied d'acier en forme de cerf-volant qui dépassait sous le canapé. Sur la commode se trouvaient deux rangées de bocaux contenant les champignons comestibles et vénéneux de la région. Un petit hérisson lapait du lait dans une écuelle en grès.

« Voici Dagobert, dit l'instituteur. C'est le seul ami qui me reste depuis la disparition de votre prédécesseur. C'est un compagnon un peu épineux, mais il suffit de le connaître. Dagobert et moi, nous nous ressemblons, n'est-ce pas ? »

Il libéra un fauteuil sur lequel se trouvaient une pincette, un bout de saucisson enveloppé dans du papier journal et une brosse à habit, et m'invita à prendre place.

« Je suppose qu'il y a du nouveau, dit-il pour commencer. Les nobles hôtes qui ont honoré notre village de leur visite vous posent probablement quelques problèmes... J'ai vu juste, n'est-ce pas ? Peut-être y avait-il parmi eux un homme de confiance du Quai d'Orsay en mission semi-officielle ? A-t-il rencontré ici un descendant des Jagellons qui fait valoir ses droits au trône de Pologne ? Ou bien était-ce un Levantin, gras et un peu négligé, qui descend en ligne directe de la maison impériale byzantine ? Eh oui, très cher ! Ces choses existent bel et bien. Pourquoi n'existeraient-elles pas ? Il y a quatre mois, on a vu ici quelqu'un qui n'avait rien d'impérial – il avait plutôt l'air d'un banquier oriental. Qui était-ce, cette fois-ci ? S'agissait-il d'Alexis VII ? Je n'affirme pas qu'il ne s'agisse pas du véritable Alexis. Il y a eu plusieurs familles impériales à Byzance : les Commènes, les Anges... »

Je l'interrompis :

« Pour l'amour du Ciel, dites-moi ce que tout ceci signifie ! »

Il observait une mousse à la loupe et avait commencé à en dégager les spores à l'aide d'un petit couteau et d'une aiguille.

« J'admets que tout cela puisse vous paraître passablement étrange, remarqua-t-il sans lever les yeux de son travail. Mais si l'on cherche un peu à regarder la face cachée des choses... Supposez, par exemple, qu'une certaine personne ait mené par le passé une vie assez mouvementée; elle avait peut-être – je dis bien : peut-être – des penchants particuliers et a fréquenté toutes sortes de gens qui resurgissent maintenant les uns après les autres et exigent de l'argent en contrepartie de leur silence. A les regarder, on pourrait croire que certains d'entre eux sont de véritables gentlemen, mais on apprend ensuite qu'il ne s'agissait en fait que d'émissaires secrets, d'hommes d'Etat, de politiciens tout à fait banals. Mais il vient aussi des personnages douteux que l'on ferait mieux de ne pas fréquenter. Dans ces cas, on s'arrange pour faire savoir qu'il s'agit des descendants d'empereurs et de rois qui sont aujourd'hui dans le besoin. On parle de consultations importantes et de conférences secrètes – cela fait en tout cas meilleure impression que si l'on était contraint d'admettre que l'on est victime d'hommes à l'honneur pour le moins douteux qui vous font chanter et ressortent de la maison avec des charretées d'argent.

– Dites-moi, est-ce que tout ce que vous me racontez là est vrai ? » lui demandai-je, consterné.

L'instituteur me regarda par-dessus ses verres de lunettes.

« Non, dit-il. Ce ne sont que des inventions destinées à des gens crédules, et vous ne faites pas partie de ces gens-là. Il n'est donc pas vraiment nécessaire que vous croyiez ce que je dis, ni que vous accordiez le moindre crédit au fait que le baron est contraint chaque année de vendre une parcelle de terrain ou de forêt. Tout cela n'est que l'œuvre d'un plaisantin et d'un farceur. Et si, d'aventure, un descendant du roi goth Alaric venait la semaine prochaine... A propos, mon Dagobert descend lui aussi d'une famille très ancienne. Ses ancêtres vivaient chez nous dès l'ère tertiaire, mais lui ne me menace pas, il n'exige rien de moi, si ce n'est un peu de lait et un peu d'amitié. N'est-ce pas, Dagobert ? »

Pendant un moment, j'observai le hérisson qui venait de vider l'écuelle de lait et qui flairait un bout de peau de saucisson tombé à terre. Puis l'instituteur poursuivit :

« ... Et puis je suppose que vous vous posez aussi des questions au sujet de ce Federico. Son cas est différent. C'est un fils naturel de M. le baron, vous l'aurez sans doute deviné, tout le monde le sait, au village. Les opinions ne divergent qu'au sujet de sa mère. Il y a ceux qui affirment qu'il est le fils de la défunte sœur du baron. Je ne partage pas du tout cet avis. Mais ce garçon lui donne bien du fil à retordre. Il est précoce et amoureux de la petite Elsie. Comprenez-vous maintenant pourquoi M. le baron a dû éloigner cette enfant de chez lui ? Des amours incestueuses ! D'où peut-il bien tenir cela, ce garçon? Eh oui, notre ami M. le baron a bien du souci. »

Et sans me laisser le temps de réfléchir à ce qu'il venait de dire, il poursuivit :

« ... Sans parler de cette prétendue assistante. Il y a vraiment de quoi rire! Le laboratoire, bien sûr, n'est qu'un prétexte. Mais le fait que M. le baron l'ait installée au presbytère est particulièrement piquant. C'est habile, je dois bien l'admettre, presque trop habile. On est en droit de se demander pour qui il l'a fait venir de Berlin : pour lui-même ou bien pour son curieux ami, le prince russe dont personne ne s'explique la présence ici. Ces deux compères se sont peut-être mis d'accord, il y a des personnalités qui ne se refusent rien. Il est possible aussi que M. le baron soit le dindon de la farce. Une chose est sûre, en tout cas, c'est que M. le curé a fermé les yeux sur ce qui se passe dans sa maison. »

Je ne me souviens plus des autres choses que l'instituteur me raconta encore. Mes souvenirs s'embrouillent à cet endroit. Je suppose simplement que je ne perdis pas contenance et que je parvins à cacher les sentiments qui m'agitaient. Je me rappelle confusément avoir feuilleté un épais cahier. Je ne sais pas ce qu'il contenait. Il est possible que l'instituteur ait voulu me faire lire ses poèmes. J'ai eu en main également un livre contenant des reproductions de mousses et de lichens. Il semble que nous ayons quitté la maison immédiatement après et qu'il m'ait accompagné un bon bout de chemin, car je le vois encore me saluer dans la rue avec d'amples mouvements de son chapeau de feutre, puis repartir rapidement vers le village, comme s'il avait soudain peur de moi.

Je dus errer pendant un certain temps tout seul dans la nature. Je ne sais pas pourquoi je ramassai les petits cailloux que j'ai retrouvés au fond de mes poches le soir. C'était peut-être pour chasser un chien qui m'avait suivi sur la route. J'abandonnai mon chapeau je ne sais où, ainsi que mon manteau. La fille de l'aubergiste les retrouva le lendemain près de l'étang alors qu'elle se rendait à la gare avec son landau.

Ma mémoire n'a gardé aucune trace de la façon dont je rentrai au village. Mes souvenirs ne resurgissent clairement qu'à partir du moment où je me retrouvai dans le laboratoire. J'entendis la voix claire de Bibiche dans la pièce voisine, dont la porte était restée ouverte.

« Vous pourrez entrer dans un instant. Surtout, ne vous retournez pas. Quelle heure est-il, à propos ? Et puis, qu'est-ce que c'est que ces manières ? Depuis quand ne frappe-t-on plus avant d'entrer ? »

CHAPITRE QUATORZIÈME

VÊTUE d'un kimono en soie de Chine jaune et chaussée de pantoufles de soie rouge, elle s'avança vers moi avec un sourire qui semblait me demander : « Est-ce que je te plais en kimono? » Elle me regardait, et son sourire resta encore quelques secondes, comme figé, sur son beau visage clair qui, l'instant d'après, exprima cependant une certaine inquiétude.

« D'où venez-vous? me demanda-t-elle. Pourquoi me regardez-vous ainsi? Qu'est-il arrivé?

– Il n'est rien arrivé, répondis-je d'une voix que je ne reconnaissais pas et en cherchant péniblement mes mots. Je suis parti me promener, je ne sais pas très bien où, et maintenant, je viens vous voir parce que j'ai une question à vous poser. »

Elle me lança un regard inquisiteur.

« Eh bien, dites! Dans quel état êtes-vous! Asseyez-vous donc! »

Elle posa un coussin par terre, un deuxième par-dessus, et s'assit, les genoux ramenés sous le menton. Son visage était tourné vers moi.

« ... Pourquoi ne vous asseyez-vous pas? Voilà! Et maintenant, parlez! J'ai une petite demi-heure de liberté.

– Une petite demi-heure..., répétai-je. Et ensuite? Qui

viendra vous voir ensuite ? Le baron ou le prince russe ?

– Le baron. Mais quelle importance cela a-t-il ?

– C'est vrai, cela n'a aucune importance pour moi, depuis que j'ai appris que... »

Elle releva légèrement la tête.

« Eh bien ? Qu'avez-vous appris ? »

Son regard me troublait.

« J'en sais suffisamment. Il vient l'après-midi, il vient le soir et il reste jusqu'à trois heures du matin...

– C'est exact. Vous êtes bien renseigné. Je vais me coucher bien trop tard et pourtant, j'ai tant besoin de sommeil. Pauvre Bibiche ! Quoi d'autre ? Vous voilà donc jaloux du baron. Je dois avouer que cela me fait plaisir. On dirait que Monsieur a vraiment un peu d'affection pour moi. Monsieur ne me l'a jamais dit, et pourtant, nous nous connaissons depuis si longtemps. En revanche, il a été bien souvent très désagréable avec moi. Donc, Monsieur m'aime...

– Plus maintenant, dis-je, blessé par son ton moqueur.

– Vraiment ? C'est complètement fini ? C'est bien dommage. Cela vous passe toujours aussi rapidement ?

– Bibiche, m'écriai-je, désespéré. Pourquoi me faites-vous souffrir ? Vous vous moquez de moi. Dites-moi enfin la vérité et je partirai.

– La vérité ? me demanda-t-elle en reprenant tout son sérieux. Je ne vois vraiment pas à quoi vous faites allusion. J'ai toujours été sincère à votre endroit. Peut-être trop. Une femme ne devrait jamais l'être. »

Je me levai d'un bond.

« Quand cesserez-vous de vous comporter ainsi ? Je ne peux plus le supporter. Vous croyez peut-être que je ne sais pas que tout cela n'est qu'un prétexte, votre travail et cela, là-bas – je fis un geste en direction de la porte ouverte du laboratoire –, et qu'il vous fait passer officiellement pour son assistante, alors qu'en réalité...

– Eh bien? Parlez sans crainte! En réalité, je suis sa maîtresse. C'est bien cela que vous vouliez dire, n'est-ce pas?

– Oui. La sienne ou celle du prince Praxatine. »

Elle leva la tête et me regarda, perplexe, de ses grands yeux effarouchés, avant de se recroqueviller sur elle-même.

« La maîtresse de Praxatine! murmura-t-elle. Grands dieux! Grands dieux! »

Elle se leva et jeta les coussins sur le canapé.

« ... La maîtresse de ce rustre, de cet ours! Et tout cela ne serait qu'un prétexte : mes travaux, le laboratoire, le feu de la Sainte Vierge! Dites-moi une chose simplement : comment avez-vous pu avoir une pareille idée? Ou plutôt non, ne dites rien, je n'ai pas besoin de votre réponse, je ne veux rien entendre, taisez-vous, je vous en prie. Je voudrais simplement savoir où vous avez pris le courage de me dire ces choses, car il en faut pour cela, et de quel droit...

– Je vous demande pardon, dis-je. Je n'avais vraiment pas le droit de m'introduire ainsi chez vous, de vous prendre votre temps et de vous importuner avec mes reproches. Je m'en rends compte à présent. Et si vous avez la bonté d'accepter mes excuses, je peux m'en aller.

– Oui. Je crois qu'il vaut peut-être mieux que vous partiez. »

Je m'inclinai.

« Je remettrai ma démission au baron aujourd'hui même. »

Sur ces mots, je partis, la gorge nouée par la tristesse et le désespoir. J'étais sur le point de sortir de la pièce quand elle me dit à voix basse :

« Restez. »

Je ne l'écoutai pas.

Elle tapa du pied.

« Mais reste donc ! »

Lorsqu'elle m'appela, je me trouvais dans le laboratoire. Je m'arrêtai, mais une fraction de seconde seulement, puis repris mon chemin sans me retourner. Soudain, elle se retrouva à côté de moi.

« Ne m'as-tu pas entendue ? Je veux que tu restes. Crois-tu que je pourrais supporter sans toi la vie que je mène ici ? »

Elle saisit mes poignets.

« ... Ecoute. Quelle qu'ait été ma vie jusqu'ici, je n'ai jamais aimé qu'un seul homme, et lui ne le savait pas ou ne voulait pas le savoir, et même maintenant, il ne me croit pas. Je suis allée à Berlin. Sais-tu où je me suis rendue d'abord ? Je suis allée à l'institut pour demander de tes nouvelles. Regarde-moi donc dans les yeux. Ai-je l'air de quelqu'un qui ment ? Je ne suis même pas capable de jouer la comédie. »

Elle lâcha mes mains.

« ... Tu étais pâle quand tu es entré dans la pièce, pâle comme la mort. Pourquoi ne t'ai-je pas dit tout cela tout de suite ? Tu ne me crois toujours pas ? Tu ne tarderas pas à me croire. Je viendrai te voir. Il aurait peut-être mieux valu que tu me laisses un peu de temps. Mais je ne veux pas que tu te tortures l'esprit avec ces idées. Dans deux jours, je serai auprès de toi. Me croiras-tu, à la fin ? A neuf heures, tout le monde dort, au village. Tu n'as rien d'autre à faire que de veiller à ce que la porte de la maison reste ouverte. Bien. Et maintenant, va... Non, reste encore... »

Elle passa les bras autour de mon cou et m'embrassa. Je la serrai tout contre mon corps.

Un objet tomba à terre et se brisa. J'eus l'impression de sortir d'un gouffre et de m'élever de plus en plus vite – à une vitesse folle, à la fin –, mais je n'étais pas debout, j'étais couché, étendu; puis j'entendis une voix, une voix d'homme :

« C'est trop bête ! Comment peut-on être aussi maladroit ! »

Nous nous séparâmes.

« Qui est là ? m'écriai-je d'une voix anxieuse. Ne sommes-nous pas seuls ? »

Bibiche me regarda en riant, l'air étonné.

« Mais qu'as-tu ? Qui veux-tu qui soit là ? Il n'y a personne. Tu imagines que je me laisse embrasser en public ? Il y a toi et il y a moi, cela ne te suffit-il pas ?

– Mais quelqu'un a parlé, d'une voix forte. J'ai entendu quelqu'un dire quelque chose.

– Mais c'est toi qui as parlé, ne le sais-tu pas ? Tu as dit : " Comment peut-on être aussi maladroit ", c'est toi-même qui l'as dit. Faut-il que tu sois à bout de nerfs pour ne pas l'avoir remarqué. Regarde ce que nous avons fait ! »

Du doigt, elle montra des débris de verre qui gisaient sur le sol.

« ... Ce n'est pas très grave, ajouta-t-elle. Ce n'était qu'un bol de bouillon et d'Agar-Agar, de l'engrais chimique. Mais on ne devrait pas s'embrasser dans un laboratoire, souviens-t'en. Si nous avions renversé le bocal, là-bas, qui contient les cultures... Je préfère ne pas y penser. Non, laisse les débris, je les ramasserai plus tard.

– Bibiche, où est le feu de la Sainte Vierge ? »

Elle me regarda l'air surpris.

« Que sais-tu du feu de la Sainte Vierge ?

– Rien. Répondis-je. Je t'ai entendue prononcer ce nom et depuis, il ne me sort pas de la tête. Tu as parlé de tes travaux et du feu de la Sainte Vierge. »

Elle sembla tout à coup pressée de me voir quitter le laboratoire.

« Ah bon, j'ai dit cela ? Je ne sais pas si je peux en parler. Et puis, il est tard, chéri, il faut que tu partes. N'as-tu pas de chapeau ? Où est ton manteau ? Sortir sans manteau, par ce froid, c'est de la folie! Il faut vraiment te surveiller! »

Ce jour-là, à la nuit tombante, je me trouvais près de la fenêtre de mon cabinet et j'observais la rue du village.

La neige tombait lentement, silencieusement, en petits flocons légers. Les objets perdaient leurs contours, prenaient un aspect fantomatique et étrange.

Un vol de corneilles s'éleva bruyamment d'un sorbier, et juste après, un traîneau de chasse descendit la rue à vive allure. C'était Federico qui le conduisait. Je ne le reconnus qu'au moment où il se leva à moitié, en passant, et tourna la tête vers moi pour me saluer.

Lorsqu'il fut passé, ce n'est pas l'image de son visage juvénile dont je gardai le souvenir mais de nouveau celle de la statue gothique du magasin de brocante à Osnabrück, qui ne me quittait pas. Je ne sais pas comment cela arriva, mais soudain, je trouvai ce que j'avais cherché si longtemps dans mes souvenirs : je sus tout à coup d'où venait cette tête de marbre et son sourire d'extase. Cette révélation avait la même force et la même intensité qu'une expérience vécue. Cette tête était le fragment d'une statue, mauvaise copie d'une sculpture imposante qui se trouve dans la cathédrale de Palerme et qui représente le dernier empereur Staufen en gloire, sous les traits d'un César triomphateur.

C'est alors que l'édifice de mensonges que l'instituteur avait si brillamment érigé s'effondra, léger et silencieux comme la neige qui glissait des toits. Libéré de ce cauchemar, je poussai un soupir de soulagement. Tout ce qu'il m'avait dit au sujet de Bibiche, du baron et des origines de Federico n'était qu'un tissu de mensonges. Car le visage de Federico avait les traits formidables et nobles de Frédéric II, son grand aïeul, qui avait été l'émerveillement du monde et son miraculeux rénovateur.

Le soleil se couchait derrière des nuages sombres et lourds traversés d'éclairs violets, rouge écarlate, jaune soufre et vert cuivré. On eût dit que le ciel avait pris feu. Jamais auparavant je n'avais vu de telles couleurs au firmament. Une pensée bizarre me traversa l'esprit : il me sembla que ce flamboiement et ces éclairs, que ces embrasements brefs et violents dans le ciel du soir étaient le fruit d'un jeu de Bibiche qui s'appelait le feu de la Sainte Vierge, qu'il n'était pas dû au soleil couchant mais qu'il venait d'en bas, de la petite pièce mal éclairée où Bibiche m'avait embrassé.

CHAPITRE QUINZIÈME

UNE conversation que le baron eut avec le curé et une intervention de Bibiche sont à l'origine de l'entretien qui m'apporta enfin des éclaircissements sur ce que le baron appelait l'œuvre de sa vie. Nous étions assis dans le hall du manoir, aménagé comme une maison paysanne. Je vois encore distinctement le décor : les coffres en chêne, l'ecce homo en bois au-dessus de l'escalier, les assiettes d'étain sur le mur et le large banc, près de la cheminée, qu'on ne trouve plus que très rarement dans les fermes de Westphalie. Le curé avait un verre de vin devant lui, nous autres buvions du whisky. Bibiche avait posé la tête sur le dos de sa main gauche et griffonnait des figures géométriques sur une feuille de papier, des spirales, de petits cercles et des rosaces. Le prince Praxatine était assis un peu à l'écart et faisait une réussite.

Je ne sais plus comment la conversation débuta. J'étais plongé dans mes pensées et je n'avais pas suivi ce qui se disait. Bibiche me regardait avec une telle froideur quand elle levait les yeux de sa feuille... Pensait-elle encore à la promesse qu'elle m'avait faite la veille ou ne s'était-il agi que d'une humeur passagère? Je voulus en avoir le cœur net. Du bout de la table, je lui demandai si elle pensait être au laboratoire le lendemain à neuf heures. Sans lever les yeux, elle haussa les épaules et, cessant de dessiner des cercles et des spirales, se mit alors à exécuter des « 9 » stylisés et très ornementés.

« L'objection que vous faites, déclara le baron, vaut pour toutes les époques, et non seulement pour la nôtre. Les grands symboles – la couronne, le sceptre, la mitre et le globe – étaient le fruit de l'ardeur de la foi qui seule conférait aux hommes ces attributs. L'humanité a perdu peu à peu l'habitude de croire à ces symboles. Celui qui parviendra à réveiller l'ardeur de la foi à une époque devenue futile et indifférente pourra facilement ramener les cœurs vers l'éclat de la couronne ou l'idée de l'Empire de droit divin.

– Croire signifie être touché par la grâce, dit le curé. La foi est l'œuvre que Dieu accomplit en nous, et seuls un travail patient, un amour dévoué et la prière sont à même de la susciter.

– Non, intervint Bibiche qui semblait sortir d'un rêve. La chimie le peut aussi. »

Le silence régnait dans la pièce, on n'entendait pas un bruit. Etonné, je regardai Bibiche qui était à nouveau penchée sur sa feuille de papier. Je me tournai ensuite vers le curé : son visage était impassible, seules ses lèvres trahissaient sa morosité et un certain découragement.

« Comment doit-on interpréter ce que vous venez de dire ? » demandai-je à Bibiche.

C'est le baron qui répondit :

« Comment on doit l'interpréter ? En tant que médecin, vous savez que tous les sentiments que nous éprouvons – la peur, la nostalgie, le souci, le bonheur, le désespoir –, que toutes les manifestations de notre vie sont le résultat de processus chimiques déterminés se produisant dans notre organisme. Entre cette vérité scientifique et l'idée exprimée à l'instant en deux mots par ma collaboratrice, il n'y a qu'un pas. »

Mon regard chercha Bibiche, mais elle n'était plus là, il ne restait plus que la feuille de papier sur la table. Le curé et Praxatine étaient partis eux aussi. Ils s'étaient éloignés sans que je m'en fusse rendu compte, et, bizarrement, je ne m'étonnai même pas de ne plus les voir. Pas une seconde je ne cherchai à m'expliquer pourquoi on m'avait laissé seul avec le baron.

« ... Mais que de travail a-t-il fallu avant que je n'ose franchir ce pas, reprit le baron. J'ai dû veiller bien des nuits, vérifier bien des preuves et surmonter bien des doutes. C'est une phrase de votre père qui est à l'origine de tout cela. " Ce que nous appelons la ferveur religieuse et l'extase de la foi, me dit-il un jour ici même, à cette table, offre, en tant que phénomène isolé ou manifestation de masse, presque toujours l'image clinique d'un état d'excitation provoqué par une drogue. Mais quelle est la drogue qui induit un tel effet? La science n'en connaît aucune. "

– Je n'arrive pas à croire que mon père ait pu dire une chose pareille, m'écriai-je. Dans aucune de ses œuvres on ne retrouve une telle idée. Ce que vous lui faites dire là est un blasphème.

– Un blasphème? Le mot est bien dur, dit le baron tranquillement. Croyez-vous qu'il soit justifié quand il s'agit de la recherche de la vérité? Est-ce un blasphème quand je dis que nous pouvons provoquer un sentiment comme l'insouciance devant la mort à l'aide d'une faible dose d'héroïne, de même qu'une plus grande disposition au bonheur par l'opium, ou l'extase du plaisir par la cantharidine? On dit qu'il existe sous les tropiques d'Amérique centrale une plante dont les feuilles, quand on les mâche, vous donnent pour quelques heures ou quelques jours un don de prophétie, le saviez-vous? Si nous observons l'histoire de la foi à travers les siècles...

– Vous voulez donc dire que l'incroyable mutation qui a transformé l'homme du monde qu'était Inigo de Recalda en saint Ignace de Loyola n'était qu'une conséquence de la consommation de drogue?

– Laissons cela, dit le baron. Nous n'avancerons pas

de cette manière. Je partais de l'idée qu'il devait exister des drogues capables de provoquer, individuellement ou collectivement, l'extase religieuse. La science ne connaît pas ces drogues, et c'est cette constatation qui est à l'origine de mes recherches. »

Il se pencha sur la table et fit tomber la cendre de son cigare dans le cendrier qui se trouvait devant moi.

« ... Blasphème, disiez-vous. J'ai suivi le chemin que m'indiquaient mes recherches. Au début, je me suis heurté à de grandes difficultés. J'ai travaillé ainsi pendant une année entière, sans obtenir le moindre résultat. »

Il se leva. Nous nous trouvions toujours dans l'entrée, mais nous dûmes quitter la maison immédiatement après, car ce qu'il me dit ensuite est lié dans mon souvenir à un autre environnement. Je me vois en compagnie du baron, dans la rue du village, à proximité de chez moi. L'air était limpide et froid, et tandis qu'il citait un passage des écrits de Dionysius, un néoplatonicien, je m'en souviens parfaitement, quelqu'un déchargeait deux bidons de pétrole et une caisse de bière devant la boutique de l'épicier, et un homme, tenant une canne en bois de troène à la main et coiffé d'une casquette, sortit de l'auberge et nous salua en passant à côté de nous. Il semble donc que j'aie accompagné le baron pour une promenade. Nous sortîmes du village. Sur un terrain vague, deux gardes champêtres attisaient un feu qui fumait beaucoup. Ils faisaient griller des pommes de terre. La liste des parasites du blé se rattache dans mon souvenir à l'odeur du bois résineux qui brûle et à celle des pommes de terre grillées. Ensuite, nous étions à nouveau au manoir. Nous nous trouvions dans le bureau du baron, là où les murs étaient décorés d'armes anciennes. Mais le baron semblait pris d'agitation, car nous quittâmes bientôt cette pièce, et il termina son exposé là où il l'avait commencé, dans l'entrée où les autres étaient revenus eux aussi : le curé et Bibiche, qui mangeait du raisin, et le prince Praxatine, qui faisait ses réussites sur le petit côté de la table. On eût dit qu'ils n'avaient pas quitté la pièce, tout semblait être comme avant, si ce n'est que la nuit commencait à tomber et que Bibiche se leva lentement pour allumer la lampe.

CHAPITRE SEIZIÈME

« PENDANT un an, je n'ai pas avancé, dit le baron. Je m'étais fourvoyé. J'avais perdu mon temps en me plongeant dans l'étude des œuvres scientifiques des auteurs grecs et romains. Les maigres indications que j'avais découvertes ou cru découvrir dans *le Livre des plantes* de Zénobius d'Agrigente, dans *les Recherches sur les plantes* de Théophraste d'Erésos, dans la *Materia medica* de Dioscoride et dans *le Livre des médecines* de Claudius Piso s'avérèrent trompeuses ou ne m'apprirent que des choses universellement connues. Sur la foi d'une interprétation erronée de l'un de ces textes, je crus longtemps avoir découvert dans la jusquiame – *hyoscyamus niger* – et, plus tard, dans l'ortie blanche, la plante qui possédait les propriétés que je supposais. C'était une erreur. Vous savez que le poison que contient la jusquiame ne provoque que des états d'excitation de nature strictement motrice, et la sève de l'ortie blanche peut parfois entraîner une légère inflammation de la peau, rien de plus. »

Le baron saisit la bouteille de whisky et le verre, mais il avait l'esprit ailleurs, et le whisky se répandit sur la table et sur le sol. Il ne s'en rendit pas compte et poursuivit son exposé, le verre vide à la main :

« ... Lorsque j'abandonnai ensuite l'étude des textes scientifiques des Anciens, je découvris la première preuve de l'exactitude de ma théorie. Diodore Siculus, un contemporain de César et d'Auguste, évoque dans l'une de ses œuvres une plante qui " soustrait celui qui en consomme à l'existence commune et l'élève dans le monde des dieux. " Diodore Siculus ne décrit pas cette plante, il ne la nomme pas non plus, mais ce passage n'en était pas moins pour moi d'une extrême importance, car pour la première fois, l'extase religieuse était expliquée ouvertement, sans la moindre équivoque, par l'absorption d'un poison végétal. Ma théorie n'avait plus désormais le caractère d'une simple supposition. Elle pouvait s'appuyer sur le témoignage d'un auteur qui, plus tard, en raison même de son sérieux, fut abondamment utilisé comme source historique par les auteurs du Bas-Empire. »

Le baron fit une pause et répondit au salut de deux travailleurs qui conduisaient un chasse-neige dans la rue. Il eut une brève conversation avec l'un d'eux au sujet d'une vache malade.

« Il n'y a rien à faire, si elle ne touche pas au trêfle, c'est qu'elle a de la fièvre », lança-t-il à l'homme.

Lorsque le chasse-neige fut passé, il reprit son récit :

« ... Quelques mois plus tard, je trouvai par hasard les indications autrement plus précises de Denys l'Aéropagite, un néo-platonicien chrétien du IVe siècle. Ce Denys raconte dans ses écrits qu'il avait imposé un jeûne de deux jours aux membres de sa communauté qui aspiraient à éprouver réellement la présence de Dieu, et qu'il leur avait donné ensuite du pain préparé avec de la " farine sainte ". " Car cette farine, écrit-il, conduit à l'union avec Dieu et nous fait comprendre l'infini. " Je vous fatigue, docteur ? Non, vous en êtes sûr ? Lorsque je découvris ce passage, je me sentis récompensé de tout le travail que j'avais fourni jusqu'alors. Je me souvins d'un passage de la Bible dont je n'avais pas tenu compte autrefois dans mes réflexions parce que je n'avais pas saisi sa signification véritable. Dans le Livre des Rois, on peut lire : " Il fit surgir le blé de la terre, afin que les hommes en mangent et Le reconnaissent. " Et dans les saintes écritures parses, il est constamment question des " épis de la purification "; dans un mystère romain antique, on parle du blé blanc ou pâle par lequel " la bonne déesse rend les hommes clairvoyants ". Il s'agissait donc d'une plante de la famille des céréales aux grains blancs, un produit des champs aujourd'hui disparu, remplacé peut-être par d'autres cultures. Quelle est la céréale qui a des épis blancs ? »

Il fit une pause.

« ... C'était une conclusion erronée, dit-il au bout d'un moment. Je m'étais fourvoyé, et Dieu sait où cette idée m'aurait conduit si je n'étais pas tombé au bon moment sur un chant romain très ancien des prêtres des divinités agrestes, une invocation solennelle de Marmar ou Mavor qui, à cette époque, n'était pas encore le dieu sanguinaire de la guerre, mais simplement le protecteur pacifique des champs. " Marmar ! Fais descendre ton givre blanc sur leurs semences, afin qu'ils reconnaissent ton pouvoir. " Ces prêtres agrestes de la Rome antique connaissaient comme tous les prêtres le secret de la drogue qui fait entrer les hommes dans cet état d'extase dans lequel ils " deviennent clairvoyants " et " reconnaissent le pouvoir du dieu ". En fait, le givre blanc n'était pas une céréale, mais une maladie des céréales, un parasite, un champignon qui pénètre dans les plantes et se nourrit de leur substance. »

Le baron promena son regard sur les champs et les prés qui reposaient silencieusement sous la couche de neige. Un petit mulot passa près de nous, laissant dans la neige une trace fine et à peine visible.

« ... Il existe de nombreuses sortes de champignons parasites, reprit le baron von Malchin : des myxomycètes, des ascomycètes, des zygomycètes... Bargin, dans sa *Synopsis fungorum*, compte plus de cent variétés différentes, et cet ouvrage est considéré aujourd'hui comme dépassé. Et parmi ces cent types de champignons, je devais découvrir celui qui, quand il entre dans la nourriture de l'homme et s'introduit ainsi dans l'organisme, provoque des phénomènes d'extase. »

Il se baissa et ramassa une pomme de terre dans la neige, près du feu. Il la contempla attentivement pendant un moment, puis la reposa, comme s'il se fût agi d'un trésor précieux, à l'endroit même où il l'avait ramassée. Les deux gardes champêtres, qui s'étaient approchés avec curiosité, le regardèrent, l'air étonné, et l'un d'eux jeta du petit bois dans le feu.

« ... Un seul champignon parmi ces cent variétés! soupira le baron. Je ne possédais aucune indication précise sur le tableau clinique de la maladie. Je savais simplement que ce champignon décolore les bractées du blé. La tâche semblait impossible; mais une observation et une idée simple me furent alors d'un grand secours. Il existe – ou il existait – une maladie des céréales qui a été souvent décrite au cours des siècles passés. Partout où elle apparaissait, elle portait un nom différent. En Espagne, elle s'appelait " lichen de Madeleine ", en Alsace, " rosée des pécheurs ". Le *Livre du médecin*, d'Adam de Crémone, la nommait " blé de la miséricorde "; dans les Alpes, on la connaissait sous le nom de " neige de saint Pierre ". Dans la région de Saint-Gall, on l'appelait le " moine mendiant " et dans le Nord de la Bohème, la " moisissure de saint Jean ". Chez nous, en Westphalie, où elle se manifestait très souvent, les paysans l'appelaient le " feu de la Sainte Vierge ".

– Le feu de la Sainte Vierge, répétai-je pensivement. Il s'agit donc d'une maladie des céréales.

– Oui. C'est l'une de ses innombrables dénominations. C'est ainsi qu'on l'appelait en Westphalie. Vous remarquerez que tous les noms que je vous ai cités ont quelque chose en commun : ils sont liés à des concepts religieux. Les paysans savaient plus de choses sur l'effet de ce parasite des céréales que tous les savants. Le souvenir d'une sagesse ancestrale, disparue depuis, s'était maintenu chez eux. »

Le brouillard commençait à monter, arbres et buissons disparaissaient dans une brume laiteuse. De gros flocons tombaient lentement et se mêlaient à la neige qui glissait des toits.

« Le parasite que nous appellerons " neige de saint Pierre ", dit le baron, se niche à l'intérieur de la plante, mais il ne détruit pas complètement les fonctions vitales des cellules nourricières. Aucune altération notable n'apparaît sur la partie malade de la plante. La maladie reste rarement plus de deux ou trois ans dans la même région. Elle disparaît pour ne se manifester à nouveau que de nombreuses années plus tard. Mais elle se déplace dans une direction précise. Il est très rare de la voir se répandre en faisceaux, dans plusieurs directions à la fois. C'est dans la chronique municipale de la ville de Pérouse pour l'année 1093 que je découvris la première mention de la neige de saint Pierre. Le fléau des céréales s'était abattu cette année-là dans toute la région située entre Pérouse et Sienne. Cette chronique indique en outre que, la même année, dix-sept paysans et artisans de la région de Pérouse avaient déclaré être des prophètes et affirmé que le Christ leur était apparu sous le traits d'un ange et qu'il les avait chargés d'annoncer au monde une lourde pénitence. Ils prêchèrent et eurent une grande audience. L'année suivante, la neige de saint Pierre fit son apparition dans la région de Vérone; elle s'était donc déplacée vers le nord. Quelques semaines plus tard, cinq mille personnes – des nobles et des bourgeois, des hommes, des femmes et des enfants – se rassemblèrent à Vérone. Les chroniqueurs racontent que cette foule était effrayante. Ils traversèrent la Lombardie en chantant des psaumes de pénitence, marchant de ville en ville, d'église en église, et partout, ils s'attaquaient aux prêtres soupçonnés de mener une existence séculière, les tuaient ou les malmenaient. Cela se passait en 1094, et l'année suivante, la neige de saint Pierre aurait dû, selon mes calculs, arriver en Allemagne. Il n'en fut rien. Il semble que le champignon parasite n'ait pas été capable de traverser les Alpes en ligne droite. Il les contourna par l'ouest et par l'est, et un an plus tard, il apparut simultanément en France et en Hongrie. Dans ces deux pays, il provoqua une élévation des âmes quasi miraculeuse qui se concrétisa dans l'aventure de la première croisade et la libération des lieux saints. »

Le baron exposait cette thèse avec une assurance tranquille qui révolta tout mon être.

« Cette construction ne vous semble-t-elle pas un peu téméraire ? » objectai-je.

Le baron sourit.

« Il vous sera difficile, docteur, de prendre en défaut un point de vue s'appuyant sur des arguments aussi fondés. J'ai suivi le chemin du parasite des céréales à travers les siècles, j'ai observé toutes ses migrations. Et j'ai constaté que tous les grands mouvements religieux du Moyen Age et de l'époque moderne – les pèlerinages de flagellants, les épidémies de danses rituelles, la persécution des hérétiques conduite par l'évêque Conrad de Marbourg, la réforme clunisienne, la croisade des enfants, ce qu'on appelle le " chant secret " dans la région du Rhin supérieur, l'anéantissement des Albigeois en Provence, celui des Vaudois dans le Piémont, la naissance du culte de sainte Anne, les guerres hussites, le mouvement des anabaptistes – bref, tous les combats menés au nom de la religion, tous les bouleversements extatiques sont nés dans les régions où la neige de saint Pierre venait à peine de se manifester. Vous appelez cela une construction téméraire, mais je peux apporter la preuve de l'authenticité de mes affirmations pour chacun des cas que j'ai cités. »

Il ouvrit un tiroir de son bureau et le referma aussitôt. Puis son regard fit le tour de la pièce. Il cherchait visiblement la bouteille de whisky et la boîte de cigares, mais elles étaient restées en bas, dans l'entrée. Son regard se posa alors sur un vase chinois qui ornait la cheminée.

« ... Regardez, docteur, c'est de l'art chinois, n'est-ce pas? La Chine, le pays sans religion. Les Chinois n'ont pas de croyances religieuses, ils n'ont qu'une sorte de philosophie. Dans l'Empire du milieu, on ne cultive aucune céréale depuis des siècles. On n'y trouve que du riz. »

Il avait renoncé à chercher la bouteille de whisky et la boîte à cigares et appela le domestique.

« Et pourquoi la foi en Dieu disparaît-elle de la surface de la terre? » lui demandai-je.

Je prononçai ces mots machinalement, sans même le vouloir.

« La foi en Dieu ne disparaît pas de la surface de la terre, répondit le baron von Malchin. Seule l'ardeur de la foi s'est éteinte. Et quelle en est la raison? J'ai été moi aussi confronté à cette question, mais j'étais contraint de la formuler différemment. Pour moi, le problème se posait de la façon suivante : est-ce le parasite qui a perdu de sa virulence ou bien les céréales qui n'ont plus la même prédisposition? L'un de ces deux facteurs a bloqué le développement et la propagation de la neige de saint Pierre en Europe depuis plus de cent ans. Mais mes expériences en laboratoire ont montré que... »

On frappa à la porte. Le domestique entra, c'était le garçon de petite taille et qui louchait légèrement qui était venu me prendre à la gare en traîneau. Il resta dans l'embrasure de la porte.

« ... Que voulez-vous? lui demanda le baron d'un ton brusque. Ai-je sonné? Non, je n'ai pas sonné. Vous pouvez disposer, je n'ai plus besoin de vous. Où en étais-je? Ah oui! J'en étais resté aux recherches que j'ai effectuées avec l'aide de mon assistante et qui ont montré que le parasite n'a rien perdu de sa virulence. Mais les céréales, voyez-vous... »

Il s'interrompit et jeta un regard vers la porte.

« ... Il aurait pu m'apporter des cigares, pendant qu'il y était. C'est trop bête, je n'en ai pas sur moi... Il s'est donc avéré que les céréales sont beaucoup plus résistantes de nos jours qu'il y a seulement quelques siècles. Le blé, comme la plupart des cultures, vient de régions au climat assez chaud. L'Europe était donc une terre étrangère pour lui. Il a été réceptif à la maladie tant qu'il ne s'est pas adapté à cette terre étrangère. Ce processus d'acclimatation a duré plusieurs siècles et il est maintenant terminé. Il faut cependant ajouter un autre élément... Pourquoi n'apporte-t-il pas le whisky? Je lui ai pourtant bien demandé d'apporter du whisky et des cigares... Il y a un autre élément : le champignon ne prend de l'influence que si la plante se trouve dans un état de faiblesse que je pourrais préciser, physiologiquement et anatomiquement. Mais l'amélioration des conditions de culture à notre époque a fait de cette faiblesse des céréales un phénomène exceptionnel. La neige de saint Pierre s'est rabattue sur d'autres types de plantes, des plantes sauvages, qui lui offraient de meilleures conditions de vie. Voilà donc la réponse, docteur, à la question de savoir pourquoi la foi en Dieu disparaît de la surface de la terre. »

Après cette explication étonnante, le baron von Malchin se leva et s'approcha de la cheminée pour se réchauffer. Le bois crépitait, des étincelles fusaient et une langue de feu jaune jaillissait parfois brusquement entre les bûches, comme si elle voulait atteindre le baron.

« ... Le problème de la prédisposition des céréales fut pour moi l'élément déterminant, poursuivit le baron. Il conditionnait tout : mes projets et mes espoirs. Allais-je consacrer mes nuits à une idée féconde ou les sacrifier à une chimère? Nous avons d'abord tenté, mon assistante et moi, de transmettre le parasite à une plante saine, et il s'avéra effectivement qu'il était possible de contaminer un jeune plant de blé avec les germes du parasite et de provoquer la maladie de façon artificielle. Mais ce ne fut qu'un succès de laboratoire, sans autres perspectives. Car cette contamination était un acte de violence qu'on ne trouve pas dans la nature, et lui seul avait permis de rendre la plante réceptive au champignon. Nous avons abandonné rapidement ces expériences et commencé à chercher une substance capable d'abaisser, voire d'anéantir les défenses des céréales. L'an dernier, je suis effectivement parvenu à développer la maladie sur une minuscule parcelle de terre sans avoir recours à la contamination artificielle. C'était une terre trop pauvre, trop humide et exposée au vent du nord. Le succès s'explique surtout par le fait que j'avais volontairement limité l'ensoleillement. C'était peut-être la première fois depuis cent ans qu'on trouvait la neige de saint Pierre dans un champ de blé. Mais elle s'est cantonnée à cette minuscule parcelle de terre dont l'ensoleillement avait été artificiellement limité. Elle ne s'est attaquée à aucune plante poussant au soleil. L'expérience avait réussi, mais c'était à la fois un succès et un échec. J'avais trouvé la neige de saint Pierre et pourtant, tous mes projets étaient voués à l'échec. C'est à cette époque, lors de ma dépression, que mon assistante m'est venue en aide – je le déclare ici, devant trois témoins. »

Les yeux brillants de Bibiche me regardèrent fixement, puis elle se tourna vers le baron. Le curé se taisait et plissait le front.

« ... Ecoutez, Arkadi Fiodorovitch, dit le baron en s'adressant au Russe. Vos rêveries vous ont fait oublier de commander des cigares. Vous auriez intérêt à envoyer une carte aux fournisseurs. Voici tout ce qui nous reste. Cela suffira au plus pour trois jours. »

Il alluma un cigare et poursuivit :

« ... Voici les faits : cette jeune dame est intervenue à un moment où je me trouvais dans une impasse. Elle n'a pas eu la tâche facile avec moi. Je suis un paysan et j'ai l'esprit d'un paysan : je ne pense qu'à la terre. Mais finalement, elle me prouva que nous n'avions pas besoin du champ de blé et que nous pouvions amener le parasite à se reproduire rapidement dans un milieu artificiel, un milieu liquide contenant des substances particulières. Par distillation, elle parvint à extraire la drogue à l'état liquide du champignon et de ses spores, et l'analyse qu'elle en fit indiqua que... Quels résultats a donnés l'analyse, Kallisto?

– Les principes actifs de la drogue sont constitués de toute une série d'alcaloïdes, expliqua Bibiche. On y trouve également des substances résineuses en petites quantités et un peu d'acide salicylique, ainsi que quelques traces d'une substance oléagineuse.

– Tout cela semble bien simple, dit le baron. Mais il n'en a pas moins fallu plusieurs mois de travail pour arriver à ce résultat. A l'heure qu'il est, nous sommes à même de faire une expérience à plus grande échelle, et non plus seulement sur un sujet isolé. Vous savez, docteur, que les masses sont régies par leurs propres lois et qu'elles réagissent autrement et de façon plus virulente aux stimuli... »

Le curé, qui s'était levé, se passa son grand mouchoir à carreaux blancs et bleus sur le front.

« Je ne suis qu'un vieillard qui n'est pas allé très loin dans la vie, et je sais que vous ne m'écouterez pas, dit-il. Et pourtant, je ne cesserai jamais de vous mettre en garde. Ne faites pas cela! Ne le faites pas ici, au village, je vous en prie, laissez mes paysans en paix, ils sont bien assez misérables comme cela. J'ai peur, entendez-vous? J'ai peur pour vous, pour moi, pour nous tous. Dans ce pays de Westphalie, il y a toujours dans l'air quelque chose qui ressemble à une catastrophe. »

Le baron von Malchin secoua la tête.

« Mon vieil ami, vous avez peur? Mais de quoi? Que craignez-vous? Je me contente de faire ce que vous avez fait votre vie durant : j'essaie de ramener les hommes sur le chemin de Dieu.

– Etes-vous vraiment sûr de savoir où vous les conduisez? lui demanda le curé. Souvenez-vous de ce passage du Livre des Rois : " Il fit surgir le blé de la terre afin que les hommes en mangent et Le reconnaissent. " Qu'est-il advenu lorsque les hommes mangèrent ce blé? Que nous dit le Livre des Rois?

– Il dit : " Ils Le reconnurent, Lui élevèrent des autels, et Lui sacrifièrent les prisonniers, au nombre de cinq mille. Et le roi Achab Lui offrit son propre fils en sacrifice. "

– Qui reconnurent-ils? poursuivit le curé. A qui élevèrent-ils des autels? A qui offrirent-ils des sacrifices humains?

– A leur dieu.

– C'est cela, à leur dieu et non au nôtre, s'écria le curé. Et leur dieu s'appelle Moloch! C'est à Moloch qu'Achab a sacrifié son propre fils, ne l'oubliez pas! »

Le baron haussa les épaules.

« Il est bien possible que ce soit à Moloch, et non à Yahvé que le roi Achab offrit des hommes en sacrifice. Mais le dieu sanguinaire des Phéniciens n'est plus aujourd'hui que l'ombre d'un souvenir. Pourquoi l'invoquez-vous? »

Le curé avait gagné la porte. Il se retourna une dernière fois.

« Ce n'est pas moi qui invoque Moloch, c'est vous. Simplement, vous ne le savez pas. »

CHAPITRE DIX-SEPTIÈME

Lorsque six heures sonnèrent, je fus pris subitement du désir d'être seul, et je renvoyai les deux personnes qui se trouvaient dans ma salle d'attente. Je donnai de l'huile de foie de morue à la femme, pour son enfant, et des gouttes à l'homme qui souffrait de névralgies, en lui demandant de revenir le lendemain. Il était un peu dur d'oreille et ne comprit pas tout de suite ce que je lui disais. Il se plaignait parce que les tiraillements et les courbatures qu'il sentait dans le bras ne diminuaient pas et il affirmait que cela venait de l'intérieur, de son sang trop épais, et à peine eut-il dit cela qu'il enleva sa veste et sa chemise en me demandant de le saigner. Je lui fis comprendre qu'il était trop tard ce soir-là, qu'il dormirait certainement très bien s'il prenait ses gouttes et, en élevant la voix, je le priai de revenir le lendemain matin. Il comprit enfin, se rhabilla, sortit à pas lents et descendit péniblement l'escalier. Il se passa une éternité avant que la porte de la maison ne se referme derrière lui.

Lorsque je me retrouvai enfin seul dans ma chambre, je me demandai pourquoi j'avais renvoyé cet homme. Les heures qui me restaient à attendre allaient passer avec une lenteur insupportable. J'avais fait quelques petits préparatifs : chez l'épicier, j'avais acheté des bonbons aux framboises qui me semblaient plus dignes de confiance que ses pralinés; quelques pommes, aussi, une tablette de chocolat, une boîte de gâteaux secs, des dattes et une bouteille de liqueur. C'était tout ce que j'avais pu dénicher dans la boutique. J'avais placé des branches de sapin fraîchement coupées dans les deux vases de la cheminée. Je poussai le divan usé dans un coin de la pièce pour éviter qu'il ne se trouve en pleine lumière, et j'aspergeai d'eau de Cologne les deux fauteuils d'osier. C'était tout ce que je pouvais faire. Il ne me restait alors plus qu'à attendre.

Je pris le journal et tentai de lire, mais je me rendis bien vite compte que rien de ce qui se passait dans le monde ne parvenait à fixer mon attention, que rien ne pouvait distraire mes pensées du point unique autour duquel elles tournaient inlassablement. L'issue des élections en Afrique du Sud et en Argentine, la menace de guerre en Extrême-Orient, les entrevues des hommes d'Etat, les informations sensationnelles en provenance des salles d'audience parisiennes, les rapports parlementaires, tout cela me laissait indifférent. Seules les petites annonces attirèrent quelque peu mon attention. Je me suis souvent demandé pourquoi la lecture des petites annonces dans les journaux, ces petits manifestes de la vie quotidienne, est aussi apaisante pour des nerfs tendus. C'est peut-être parce qu'elles nous montrent les désirs et les besoins de gens qui nous sont étrangers et qu'elles nous font oublier ainsi pour quelque temps nos propres soucis. Une société d'assurance sur la vie offrait un poste de responsable pour les régions de Teltow, Jüterbog et Tauch-Belzig; le propriétaire d'une maison de campagne cherchait de façon urgente des tapis persans d'avant-guerre à payer comptant; on recherchait des voyageurs de commerce pour la vente de machines, de vêtements d'hiver, de fermetures Eclair et de porcelaines; enfin, une personne élégante, grande et mince, offrait ses services de mannequin. Je lus toutes ces annonces plusieurs fois et elles me libérèrent pendant quelques instants de mon inquiétude, car elles me permettaient d'oublier ma propre vie en me faisant ressentir les désirs et les soucis de gens inconnus comme s'il se fût agi des miens. Lorsque je revins enfin à moi, je fus presque satisfait de constater que pour ma part, je n'avais que des désirs bien modestes. Je ne voulais qu'une seule chose : voir passer le temps plus rapidement, et de fait, il était déjà six heures et demie, l'arrivée de Bibiche s'était rapprochée d'une demi-heure. On frappa alors à ma porte. C'était ma logeuse qui m'apportait mon dîner.

Je mangeai en hâte, distraitement, et dix minutes plus tard, je fus incapable de dire ce que l'on m'avait servi. Craignant que l'odeur du repas ne restât dans la pièce, j'ouvris les deux fenêtres pour laisser entrer l'air froid de l'extérieur.

Dehors, le brouillard grimpait jusque sur les toits, et la lueur diffuse de la lanterne accrochée sous le porche de l'auberge semblait se perdre dans cette brume blanche. Pendant que j'observais la rue, je me souvins tout à coup que j'avais encore une visite à effectuer. La femme d'un bûcheron, qui vivait en dehors du village, était sur le point d'accoucher – elle attendait son cinquième enfant. L'après-midi, elle s'était plainte de violentes douleurs dans les reins et de fatigue quand elle marchait. J'avais donc décidé d'aller voir comment elle se portait. Je refermai les fenêtres et jetai deux bûches dans la cheminée. Puis je pris mon manteau et mon chapeau et sortis.

Ce déplacement que je m'étais imposé s'avéra inutile. L'état de la femme était stationnaire, seules les douleurs dans les reins s'étaient un peu apaisées. Il pouvait encore se passer plusieurs jours avant que l'accouchement ne commençât. La femme se trouvait dans la cuisine et préparait le dîner. En entrant, je sentis l'odeur aigre du seau de traite, mêlée à celle des pommes de terre à l'eau et de la bouillie pour les porcs. Je bavardai un instant avec la femme et son mari, qui venait de rentrer du travail. C'étaient de pauvres gens comme il y en avait beaucoup au village. On leur avait saisi l'unique vache qu'ils possédaient encore à cause d'impôts qu'ils n'avaient pu payer. Une famille de huit personnes vivait dans deux pièces sombres et humides où il n'y avait que quatre lits. Les vitres brisées et les fissures de la porte avaient été bouchées à l'aide de chiffons. Les enfants vinrent dans la cuisine, les uns après les autres, en jetant des regards avides sur le plat de pommes de terre. La femme me dit que l'aîné avait besoin d'une paire de chaussures, mais qu'ils n'avaient hélas pas d'argent.

Ma tante n'aimait guère faire la charité. « Chacun doit subvenir à ses propres besoins, moi, je n'ai personne qui m'aide », avait-elle coutume de dire, et c'est dans cet esprit qu'elle m'avait élevé. Mais ce soir-là, je ressentis le besoin d'apporter mon assistance, de faire une bonne action, d'ôter un souci à ces gens. Je sortis discrètement cinq pièces de deux marks de ma poche et les posai sans faire de bruit sur le fourneau. Je n'agis peut-être ainsi que parce que je tremblais pour mon bonheur, pour le bonheur que devait m'apporter cette soirée et parce que je cherchais par là à me concilier la bienveillance des dieux. Ces gens découvrirent probablement l'argent juste après mon départ, car j'entendis l'homme m'appeler sur la route, mais il ne me vit pas, bien que je ne fusse qu'à dix pas de lui : le brouillard était trop dense.

Lorsque j'arrivai chez moi, ma chambre me sembla un peu plus accueillante, presque agréable. Je fis griller deux pommes dans la cheminée. Ensuite, j'éteignis toutes les lumières, mais il ne faisait pas complètement noir, le feu jetait une lueur rougeâtre sur le tapis élimé et les deux fauteuils d'osier.

J'entendis le tailleur tousser dans sa chambre. Il était alité et souffrait d'une bronchite. Je lui avais dit de prendre du lait chaud avec de l'eau de Seltz. A part cela, tout était calme, on n'entendait que le léger bourdonnement et les sifflements des pommes qui grillaient dans la cheminée et répandaient dans la pièce une odeur fine et aromatique. J'étais assis devant la cheminée et je fixais le feu. Je ne regardais plus ma montre, je ne voulais pas savoir l'heure, ni combien de temps il me restait à attendre.

Soudain, une idée me vint à l'esprit qui déclencha en moi une grande inquiétude : « Que ferais-je si j'avais de la visite, maintenant ? » me demandai-je. En effet, quelqu'un qu'il m'aurait été impossible de congédier et qui aurait insisté pour me tenir compagnie aurait pu venir me voir, comme le prince Praxatine, par exemple. Je ne pouvais exclure tout à fait une telle éventualité. Il était déjà venu une fois et était resté jusqu'après minuit. Qu'aurais-je pu faire s'il s'était présenté chez moi à ce moment-là et s'il s'était assis près de moi, devant la cheminée ? Cette pensée, qui m'avait effrayé tout d'abord, commençait à m'amuser. Je m'imaginai qu'il était déjà assis là et que je ne pouvais le voir parce qu'il faisait trop sombre dans la pièce. Mais il était bel et bien là, les jambes étendues, sa tête blonde légèrement penchée sur le côté; j'entendais le fauteuil d'osier craquer et grincer sous le poids de son corps puissant et je voyais les lueurs rougeâtres du feu se refléter dans ses hautes bottes cirées.

« Eh bien, Arkadi Fiodorovitch, dis-je en m'adressant au fantôme assis dans le fauteuil d'osier, vous n'êtes guère bavard aujourd'hui ? Voilà cinq minutes que vous êtes arrivé, mais vous restez assis comme une chouette sur sa branche au cœur de la nuit noire et vous gardez le silence.

– Depuis cinq minutes ? répondit le fantôme. Cela fait bien plus longtemps, docteur, que je suis là et que je vous observe. Vous êtes impatient. Vous semblez attendre quelque chose et le temps ne passe pas assez vite à votre goût. »

Je hochai la tête.

« ... Eh oui ! Le temps chausse deux paires de chaussures différentes, poursuivit le fantôme. Avec l'une, il boite, avec l'autre, il fait des bonds. Et aujourd'hui, dans cette pièce, le temps a chaussé ses chaussures de boiteux, il ne veut pas passer.

– Vous avez raison, Arkadi Fiodorovitch, soupirai-je. Les heures passent si lentement !

– Et ce qui est grave, docteur, c'est que vous n'avez pas l'habitude d'attendre. Moi, voyez-vous, j'ai appris à prendre patience. Quand je suis venu m'installer ici, je me suis dit : " Combien de temps les Rouges resteront-ils en Russie ? Une petite année, certainement pas plus longtemps. " Et je me suis mis à attendre. Mais aujourd'hui, après tant d'années, j'ai compris qu'ils n'avaient aucune limite. Ils resteront pour l'éternité et je sais que mon attente est vaine. La vôtre aussi, docteur !

– Non, dis-je d'un ton brusque et irrité.

– Vous attendez donc une femme, dit le Russe. Evidemment. J'aurais dû y penser tout de suite : éclairage mystique, des pommes sur la table, du chocolat, une boîte au contenu incertain, et même des dattes ! Je vois aussi une petite liqueur. Il ne manque que des roses. »

Il porta sa main devant sa bouche et toussa.

« ... Il faudrait un vase avec des roses blanches sur la table, poursuivit-il. Ne trouvez-vous pas, docteur ?

– Ah ! Taisez-vous, Arkadi Fiodorovitch, dis-je, agacé. Je ne vois pas en quoi cela vous regarde. »

La voix douce, presque chantante, du Russe me répondit du fond du fauteuil d'osier :

« Tant pis pour les roses. Ne vous fâchez pas. A quoi bon des roses, d'ailleurs ? Ce ne sont que des fleurs banales sans le moindre caractère. Vous vous en passerez donc pour la recevoir. Voyez-vous cela ! Ici, dans ce désert, dans ce village oublié de Dieu, il attend la visite d'une femme ! Eh oui ! Ceux auxquels la chance sourit, même les coqs leur pondent des œufs. Bien sûr, il y a une femme ici qui est aussi belle que la Sainte Vierge, et mince, et sa peau est aussi blanche que la fleur du pommier. Et quand elle parle, on dirait une douce brise printanière. Serait-ce elle que vous attendez par hasard, docteur ?

– Peut-être. »

Il fut à nouveau secoué par une quinte de toux. Il se rapprocha un peu de la cheminée.

« Si tel est le cas, vous perdez votre temps, dit-il. Elle ne viendra pas. Moi aussi, je l'ai attendue, je l'ai attendue pendant une année entière, et elle n'est pas venue.

– Cela ne m'étonne pas qu'elle ne soit pas venue vous voir », dis-je en riant, et je fus surpris de l'agressivité et de la méchanceté de mon rire.

« Et vous pensez sérieusement qu'elle va venir ? répliqua-t-il. Bon, peut-être, nous verrons bien, je vais rester ici à l'attendre avec vous. Je ne demande pas mieux que d'être convaincu.

– Vous voulez rester ? m'écriai-je. Vous n'y pensez pas. Vous devez rentrer chez vous. Vous êtes souffrant. Vous toussez.

– Ah ! C'est pour cela ! Je n'en mourrai pas, n'ayez crainte. A quelle heure doit-elle venir ?

– Arkadi Fiodorovitch ! dis-je d'un ton sec. Maintenant, cela suffit. Vous n'avez rien à faire ici. Vous allez partir sur-le-champ. »

Il ne bougea pas de son fauteuil. Le feu crépitait dans la cheminée, et l'espace d'une seconde, il me sembla apercevoir son visage.

« Tiens donc ! En êtes-vous si sûr ? En êtes-vous convaincu ? Vous me menacez même ! Mais cela ne vous servira à rien, c'est comme si vous vouliez abattre un arbre à coups de verge. De quoi voulez-vous me menacer, docteur ?

– Je n'ai aucune intention de vous menacer, dis-je. Vous allez partir, Arkadi Fiodorovitch, ne serait-ce que parce que vous êtes un gentleman.

– Oui, vous avez raison, répondit le Russe au bout d'un moment. Si j'étais un gentleman, je devrais m'en aller, maintenant. Mais ne ressentez-vous pas aussi parfois cette résistance au fond de vous-même, docteur, cette résistance qui vous dit : eh bien non, pas maintenant ! Je vais vous dire la vérité; je suis jaloux, je suis même malade de jalousie, ma souffrance est indicible. Je devrais partir, et pourtant, il faut que je reste. Je veux savoir qui vient vous voir ce soir, docteur.

– Reprenez-vous, Arkadi Fiodorovitch, dis-je d'un ton conciliant. Vous ne parlez pas sérieusement. Vous n'êtes pas jaloux, vous n'avez aucune raison de l'être. Vous pouvez tranquillement rentrer chez vous, je n'attends pas celle dont vous parlez.

– Si seulement vous pouviez dire la vérité ! soupira-t-il. Mais vous mentez, je le vois à votre regard. Ecoutez, je vais vous faire une proposition. Nous sommes tous deux des hommes, n'est-ce pas, des gens civilisés, et nous réglerons cette affaire sans querelle, avec fair-play. J'ai sur moi un jeu de cartes. Celui qui tirera la carte la plus élevée restera, et l'autre partira et ne reviendra plus. Etes-vous d'accord ?

– C'est un duel, donc ? Un duel à l'américaine ?

– Pourquoi appelez-vous cela un duel ? Je ne dis pas que le perdant devra obligatoirement se tirer une balle dans la tête. Il suffit qu'il s'en aille et ne revienne pas. Un duel ? Non, ce n'est guère qu'un petit jeu à la mise bien modeste.

– Vous appelez cela une mise modeste ? Bon, si vous voulez, je suis d'accord. Mais il fait trop sombre, ici, je ne vois pas les cartes. Attendez, je vais allumer.

– Non, n'allumez pas ! s'écria-t-il. A quoi bon ? C'est tout à fait inutile. Vous aussi, vous êtes jaloux, tout comme moi, et la jalousie a des yeux de chat. Nous y voyons parfaitement dans le noir. Je tire une carte. C'est le valet de pique, vous voyez ? Et maintenant, c'est à vous.

– Je ne vois rien. Cela veut donc dire que je ne suis pas jaloux, dis-je en riant. Mais vous, je crois que vous n'aimez pas beaucoup la lumière. Et je suis prêt à parier que vous aurez disparu si je tourne l'interrupteur. Je vais donc allumer, au risque d'interrompre notre petite conversation.

– Allumez donc, cria-t-il. Vous pouvez toujours essayer, vous n'y parviendrez pas. Il y a un court-circuit, docteur ! Un court-circuit !

– Diable, m'exclamai-je. Il ne manquait plus que cela. »

Je me mis à chercher l'interrupteur, sans succès. Je renversai un fauteuil et me cognai le front contre la bibliothèque.

« Inutile de vous donner tant de mal », dit le Russe avec un ricanement qui se transforma bientôt en quinte de toux.

Mais je trouvai enfin le bouton et la lumière inonda la pièce.

Je m'étirai et portai la main à mon front endolori. La lumière m'aveuglait.

« Vous êtes parti, Arkadi Fiodorovitch ? m'écriai-je en promenant mon regard à travers la pièce. C'est bien dommage. Vous ne saurez donc pas qui vient me voir ce soir. Pourquoi étiez-vous si pressé tout à coup ? Partir ainsi, sans adieu, vous me surprenez. Ce ne sont pas des manières d'homme du monde. Eh bien, bonne nuit, dormez bien, et ne pensez pas trop à... »

La cloche de l'église se mit à sonner. Je restai immobile, à compter les coups qui se perdaient dans le lointain. Il était neuf heures.

CHAPITRE DIX-HUITIÈME

NEUF heures venaient de sonner, et elle n'était pas arrivée. J'ouvris la fenêtre et me penchai à l'extérieur. Tout était silencieux, on n'entendait pas le moindre bruit de pas, pas le moindre craquement de neige, et aucune silhouette ne traversait le brouillard. « Pourquoi ne vient-elle pas? me demandai-je, consterné. Qu'est-il arrivé? Pour l'amour du ciel, que peut-il être arrivé? » Au même moment, je m'aperçus que je n'avais pas de citron chez moi. J'avais pensé à tout sauf au citron pour le thé. L'épicier avait fermé boutique. Je devais aller en face, chez l'aubergiste... Mais à quoi bon? Elle n'arrivait pas. « Elle est peut-être venue et a trouvé la porte de la maison fermée à clef. J'ai pourtant bien demandé à ma logeuse... J'aurais dû m'assurer par moi-même que la porte de la maison est bien restée ouverte. Pourquoi n'ai-je pas vérifié? »

J'étais tellement pressé que j'en oubliai de refermer la fenêtre. Je dévalai les escaliers. Non, la porte n'était pas fermée à clef. Je remontai lentement. En haut, l'air froid de la nuit vint me fouetter le visage. Je jetai un dernier regard dans la rue avant de refermer la fenêtre.

Je me versai un verre de cognac. Je remarquai que mes mains tremblaient. « Du calme! Du calme! » me dis-je. Je m'assis pour réfléchir. Qu'était-il arrivé? Elle avait peut-être oublié. Elle était chez elle, dans son laboratoire, et son travail lui avait fait oublier le jour et l'heure. Peut-être que, fatiguée, elle s'était allongée sur le canapé pour se reposer un peu et s'était endormie. Ou... peut-être n'avait-elle pas envie de venir. Est-ce qu'on tient une promesse faite dans la précipitation? A quoi bon? Qu'étais-je pour elle? Ce que j'étais pour elle?! « Crois-tu que je pourrais supporter sans toi la vie que je mène ici? » m'avait-elle dit. Mais c'était deux jours plus tôt, et en deux jours, bien des choses peuvent changer chez une femme.

Je me versai un autre verre. C'était déjà mon troisième cognac. Ce soir-là, je voulais boire, vider la bouteille jusqu'à la dernière goutte, jusqu'à ce que Bibiche me soit complètement indifférente. Peut-être lui faisais-je du tort, peut-être n'avait-elle pas oublié. Elle avait simplement eu un empêchement au dernier moment, le baron l'avait peut-être appelée ou bien elle l'avait rencontré en venant chez moi. « Encore un cognac! A ta santé, Bibiche, même si tu n'es pas venue. Qu'importe! Je t'aime malgré tout... hélas. Je ne peux rien y changer. » Peut-être est-elle souffrante, alitée, avec de la fièvre. Mais dans ce cas, elle m'aurait fait avertir en m'envoyant le petit garçon qui est déjà venu me voir une fois. « Vous m'en voulez, et je ne sais pas pourquoi. Pauvre Bibiche! » C'est ce qu'elle m'avait écrit dans son billet. Et qu'en sera-t-il aujourd'hui? Que va-t-elle m'écrire? « Ne m'attendez pas plus longtemps. Pensiez-vous sérieusement que j'allais venir vous voir? » Le garçon va arriver d'un moment à l'autre : « Bonsoir. La demoiselle m'a demandé de vous remettre ceci. » Encore un cognac. Cela fait du bien. Toute la nuit, je vais...

On a frappé.

C'est lui. C'est le petit garçon qui m'apporte le billet. Non, elle n'est pas malade, mais elle ne veut pas venir me voir. Ou plutôt si, elle aimerait bien venir, mais elle ne peut pas, le baron est chez elle.

« Entrez, dis-je, la voix cassée, en me détournant, car je ne voulais pas le voir.

– Bonsoir, dit Bibiche. Oh! Mais cela sent les pommes grillées! C'est gentil, j'aime beaucoup cela. Eh bien? Je ne vous ai pas fait attendre trop longtemps, n'est-ce pas? »

Je regardai Bibiche. Elle se tenait dans l'embrasure de la porte, vêtue de son manteau et portant aux pieds des chaussures de neige. Je jetai un coup d'œil à ma montre : il était neuf heures trois.

Elle me tendit sa main à baiser.

« ... Vraiment, je suis moi-même étonnée de ma ponctualité. Ce n'est pas dans mes habitudes. Voilà donc votre univers. J'ai parfois essayé de m'imaginer la chambre où vous viviez. »

Je l'aidai à retirer son manteau.

« Ne regardez pas trop autour de vous, Bibiche », dis-je, et je sentais mon cœur battre à tout rompre. « C'est si triste ici. Cette chambre... »

Elle me sourit. Elle avait une façon particulière de sourire avec les yeux et les ailes du nez.

« Oui, dit-elle. On voit bien que vous n'avez pas encore eu beaucoup de visites féminines dans cette chambre. Ou bien? Des visites de Rhéda? Ou même d'Osnabrück? La lumière est un peu trop crue, vous pouvez l'éteindre. La lampe, sur la table, suffira. Voilà, c'est mieux ainsi. »

Je posai la théière sur la table et allumai le réchaud à alcool. Nous étions tous deux mal à l'aise, mais ni l'un ni l'autre ne voulait le montrer.

« Fait-il froid, dehors? lui demandai-je pour rompre le silence.

– Oui. C'est-à-dire... Je n'en sais rien. Peut-être n'y ai-je pas prêté attention. J'avais peur et j'ai couru.

– Vous aviez peur?

– Oui, vraiment. J'ai été bien sotte. En sortant de chez moi, j'avais l'esprit léger, mais par la suite!... Tout ce chemin dans l'obscurité, jusqu'ici. Ce court trajet m'a semblé interminable.

– Je n'aurais pas dû vous laisser venir seule. »

Elle haussa les épaules.

« Vous savez, j'ai encore peur maintenant, avoua-t-elle. Vous êtes sûr que personne ne peut entrer? Si un patient arrivait...

– C'est peu probable, à cette heure. Mais s'il en vient un, il sonnera d'en bas. Je ne le ferai pas monter. »

Elle alluma une cigarette.

« Nous prendrons le thé, nous bavarderons un peu et ensuite, je rentrerai. »

Je restai silencieux. Elle fixait la flamme bleue du réchaud à alcool. Le tailleur, à l'étage au-dessous, eut une nouvelle quinte de toux.

Elle sursauta.

« C'est mon logeur. Il a une légère bronchite.

– Et cela va durer ainsi toute la nuit?

– Non, s'il ne s'endort pas, je descendrai pour lui donner de la codéine ou un autre médicament. »

Quelque chose semblait l'irriter.

« Je me demande vraiment pourquoi je suis venue, dit-elle tout à coup. Pouvez-vous me le dire? Vous pouvez me regarder, oui, regardez-moi bien. Qu'attendez-vous de moi, au juste? Que je vous saute au cou? Vous ne m'avez même pas vraiment dit bonsoir! »

Je me penchai vers elle et posai mon bras sur son épaule. Mais elle se défendit comme pour refuser mon baiser et me repoussa.

« Bibiche, m'écriai-je, surpris et légèrement froissé.

– Oui? C'est toujours moi, je suis toujours la même Bibiche. Quel maladroit vous faites! Vous avez déchiré ma robe. Avez-vous un peu de soie bleue? Suis-je bête, vous n'avez aucune raison d'en avoir chez vous. »

Je lui proposai de descendre chez le tailleur pour lui en demander. Elle fut d'accord.

« Allez, mais ne restez pas trop longtemps. J'ai peur.

Oui, vraiment, j'ai peur, toute seule. Je refermerai la porte à clef derrière vous. Vous devrez frapper et me dire que c'est vous, sinon, je n'ouvrirai pas. »

Lorsque je revins, la porte était ouverte. J'entrai.

Bibiche était devant la glace et arrangeait sa coiffure. Elle avait jeté sa robe sur le canapé et enfilé négligemment un kimono brodé de rouge. Je n'avais même pas remarqué qu'elle l'avait apporté. Son visage, clair, beau, calme et décidé se réflétait dans le miroir.

« Bien, dit-elle sans se retourner. Maintenant, vous pouvez me dire bonsoir. »

Je pris sa tête entre mes mains et la ramenai en arrière. Elle poussa un cri de douleur, j'avais peut-être été trop brutal. Nous nous retrouvâmes dans un baiser sauvage et douloureux.

« Tu es venu et tu as dérangé ma quiétude, dit-elle d'une voix plaintive lorsque ma bouche libéra ses lèvres. C'est à cause de tes yeux. Arrives-tu toujours aussi facilement à tes fins avec les femmes? Quand tu me regardes... Est-ce que tu m'aimes?

– Ne le sens-tu pas, Bibiche?

– Si, mais j'aimerais aussi de l'entendre dire. Non, ne dis rien. Dis-moi plutôt où tu as vécu pendant l'année où nous ne nous sommes pas vus. Avais-tu une maîtresse? Etait-elle belle? Plus belle que moi? Oui? Non? Vraiment pas? Mais ce n'est pas une raison pour cesser de m'embrasser. On peut répondre et donner un baiser en même temps. Ou bien n'est-ce pas possible? »

Elle ferma les yeux et me laissa l'embrasser; le kilomo glissa de ses épaules et un frisson de bonheur me parcourut pendant que je la tenais ainsi dans mes bras.

Ma maîtresse me quitta au petit matin, dès les premières lueurs de l'aube. Elle refusa que je l'accompagne. Nous nous séparâmes dans le couloir, dans un coin sombre entre l'escalier et la porte de l'atelier du tailleur.

« Je reviendrai bientôt, dit-elle, en se serrant tout contre moi. Non, pas demain. Nous allons avoir beaucoup de travail dans les prochains jours, mais après, je ne te ferai pas attendre davantage. J'aimerais tant rester encore, mais il faut que je rentre. Le chat va finir le lait. Mais non, grand nigaud, je n'ai pas de chat. C'est une comptine. Si je rencontre quelqu'un en chemin, je dirai que je suis allée me promener. Me croira-t-on ? Si on ne me croit pas, eh bien tant pis ! Embrasse-moi encore une fois. Comment sais-tu qu'on m'appelait Bibiche lorsque j'étais enfant ? Est-ce moi qui te l'ai dit ? Il faut que nous nous revoyions aujourd'hui même. Si tu passes chez moi, frappe à ma fenêtre. Embrasse-moi encore... Et maintenant... »

Je la regardai partir dans la neige à petits pas prudents. Elle se retourna une fois encore et me fit un signe de la main. Quand elle eut disparu, je remontai dans ma chambre. Je fus pris d'une sorte d'agitation joyeuse : jamais auparavant je n'avais éprouvé un tel sentiment. J'avais l'impression qu'il fallait que j'entreprenne quelque chose de totalement nouveau : apprendre à monter à cheval ou commencer un travail de recherche, ou simplement faire une promenade dans la neige, seul, pendant une heure.

Ensuite, vers neuf heures, la journée débuta, exactement comme toutes les précédentes, comme si rien ne s'était produit au cours de la nuit. Le premier patient arriva; c'était l'homme qui souffrait de névralgies. Je fus sincèrement heureux, ému même, de le revoir. La veille, je l'avais renvoyé parce que j'attendais Bibiche, et maintenant qu'elle était partie, il était revenu. Je le reçus comme un vieil ami.

« Comment avez-vous passé la nuit ? Racontez-moi », lui dis-je en lui offrant un cigare, du cake, des dattes et un verre de liqueur.

CHAPITRE DIX-NEUVIÈME

DANS les jours qui suivirent, il ne me fut pas possible de voir Bibiche seule. A chaque fois que je passais devant le presbytère, le baron von Malchin se trouvait avec elle dans le laboratoire. Quand je jetais un coup d'œil par la fenêtre, j'apercevais son visage allongé, éclairé par la lampe, son front haut et ses tempes grisonnantes. Il tenait une éprouvette à la main ou se trouvait avec Bibiche devant une sorte de bocal de verre cylindrique qui ressemblait à un appareil de Soxhlet. Un soir, je ne vis pas de lumière dans le laboratoire. Bibiche était dans la pièce voisine, assise à sa machine à écrire, et le baron faisait les cent pas tout en lui dictant un texte. Je ne le voyais pas, je n'apercevais que son ombre qui se déplaçait sur le mur et le plancher.

Il était toujours chez elle, elle n'avait donc pas de temps à me consacrer, mais cela ne m'inquiétait plus. La nuit au cours de laquelle elle était devenue ma maîtresse avait changé bien des choses en moi. Si j'avais été malade auparavant, je me sentais dorénavant guéri. Les doutes qui m'avaient rongé avaient disparu, je n'étais plus la proie de mes états d'âme. J'aimais Bibiche de façon peut-être encore plus violente qu'auparavant. Je l'aimais comme je l'aime encore aujourd'hui. Mais je me sentais très calme, j'avais l'impression d'être un alpiniste qui vient d'escalader une paroi abrupte, après d'infinis efforts et d'innombrables dangers, et qui est allongé au soleil, grisé, heureux et confiant. Je savais que Bibiche reviendrait dès qu'elle aurait achevé ses travaux. Et quand je me sentais seul, dans ma chambre, quand je m'ennuyais d'elle, mes pensées retournaient en toute hâte à cette nuit.

J'eus moi aussi plus de travail qu'auparavant pendant cette période. Il y eut deux cas de diphtérie au village, sans compter que l'état de la petite Elsie me causait bien du souci. Elle avait guéri de sa scarlatine. La desquamation était achevée, mais son organisme fragile était affaibli, elle avait besoin de changer d'air. Un assez long séjour sous un climat moins rude me semblait nécessaire. Je devais parler de ce problème avec le baron von Malchin, que ses projets empêchaient de se consacrer à sa petite fille.

Je revenais de la maison du garde forestier, c'était un samedi. J'avais traversé Morwede à la recherche du baron. Dans la rue du village, les gens s'étaient rassemblés en petits groupes devant l'auberge du Cerf et devant l'épicerie – des hommes et des femmes; tous ceux qui n'étaient pas chez eux à éplucher des pommes de terre se trouvaient là. Les paysans étaient silencieux, comme toujours, mais dans leurs visages las, tannés par les intempéries et ravinés par les soucis, on pouvait lire un espoir fiévreux. Ils suivaient du regard un traîneau chargé de fûts de bière qui se dirigeait lentement vers le manoir. Le cocher marchait à côté et faisait claquer son fouet. L'épicier me raconta immédiatement, sans que je lui demande quoi que ce fût, que le baron avait invité tout le village au domaine à l'occasion de sa fête. La grande salle du manoir avait été préparée pour les exploitants agricoles et les fermiers. Les valets de ferme et les bûcherons devaient être reçus à l'office, qui se trouvait au rez-de-chaussée de la maison du régisseur. On avait prévu du rôti de porc et des saucisses avec du chou. De plus, chacun aurait droit à deux verres de schnaps et à de la bière à volonté. Le baron avait acheté à l'épicier une caisse entière de pain d'épice destiné aux enfants du village, pour qu'ils profitent eux aussi de la fête. Jamais auparavant le baron n'avait été aussi généreux me confia l'épicier.

« Les paysans disent qu'à l'occasion de sa fête, le baron va faire cadeau aux petits fermiers de leurs fermages arriérés, poursuivit l'épicier. Mais je ne le crois pas. Je connais M. le baron. Il est généreux pour les pauvres gens, mais il ne plaisante pas avec les fermages. Où irions-nous sinon ? Quand les gens auront compris que l'on ne prend plus les fermages très au sérieux... Qu'y a-t-il, jeune homme ? Qu'y a-t-il de si urgent ? Tu veux pour trente pfennigs de tabac pour grand-père ? Voilà ton tabac, ne le perds pas et donne bien le bonjour à grand-père. Allez, cours, mais fais attention de pas renverser le clocher ! »

Il s'adressait à un petit garnement qui, depuis un moment, tapait impatiemment sur le comptoir avec ses pièces de monnaie pour interrompre le flot de paroles de l'épicier.

Le laboratoire et la pièce attenante n'étaient pas éclairés. Je frappai à la fenêtre, rien ne bougea. Je frappai à nouveau, plus fort, mais je n'entendis aucun bruit, personne ne vint m'ouvrir. D'ordinaire, Bibiche était toujours dans son laboratoire à cette heure. Le baron l'avait peut-être à nouveau envoyée à Berlin. Peut-être traversait-elle en ce moment précis la place de la gare d'Osnabrück dans sa Cadillac verte. « Non, c'est impossible, me dis-je. Si elle était partie en voyage, elle me l'aurait dit. Elle ne partirait pas sans me dire au revoir après ce qui s'est passé entre nous. Mais peut-être a-t-elle achevé ses travaux ? Elle est parvenue à rendre cette substance inodore – cette odeur de moisi m'avait presque donné la nausée – et maintenant, ils sont en mesure de faire l'expérience à grande échelle. Bien sûr ! Tout le village est invité au domaine, ce soir. Deux verres de schnaps pour chacun et de la bière à volonté. La substance ne se trouvera donc pas dans la bière, car il serait impossible de la doser correctement si chacun peut en boire autant qu'il veut. Ils la mélangeront au schnaps. C'est donc avec le schnaps que les paysans avaleront cette drogue que Bibiche a distillée à partir du feu de la Sainte Vierge. Demain, peut-être, l'église sera remplie de paysans en prière. Mais pourquoi le curé est-il si réticent ? Et demain, Bibiche viendra me voir, elle me l'a promis. »

J'étais arrivé au domaine. Je n'avais rencontré personne qui aurait pu me dire où se trouvait le baron. Les domestiques étaient probablement tous dans la grande salle et dans la maison du régisseur, occupés à la préparation de la fête. J'entrai dans la salle. La lumière tamisée de la lampe tombait sur deux silhouettes assises l'une en face de l'autre dans les fauteuils aux accoudoirs sculptés. L'une d'elles se leva lorsque j'entrai. Je reconnus le curé.

« Bonsoir, docteur. Vous cherchez M. le baron ? Il est assis là et dort. Oui, je vous assure, il s'est endormi dans le fauteuil. C'est là que je l'ai trouvé en arrivant. Moi aussi, j'avais à lui parler. Vous pouvez approcher sans crainte, vous ne le réveillerez pas. Il dort du sommeil du juste. »

Sans bruit, je fermai la porte derrière moi et m'approchai du baron sur la pointe des pieds. Il était assis, le corps penché en avant, la tête reposant sur son bras, la respiration calme et régulière. Un livre était ouvert devant lui, sur la table; la fatigue avait eu raison de lui pendant qu'il lisait Lucien de Samosate.

« ... N'est-il pas étonnant qu'il puisse dormir aussi calmement ? reprit le curé. Il n'y a pas l'ombre d'un souci, d'une crainte ou d'un doute dans les rêves de cet homme qui a pris sur lui une telle responsabilité.

– Et vous, mon père, pourquoi ne voulez-vous pas partager cette responsabilité avec lui ? dis-je à voix basse, prudemment. Ses projets ne vont-ils pas dans le sens du bien de l'Eglise ?

– Non, répondit le curé d'une voix douce, mais résolue. L'Eglise du Christ n'a rien à voir avec les desseins de cet homme. L'Eglise du Christ repose sur la toute-puissance de Dieu et non sur l'ingéniosité de l'esprit humain. L'homme est sur terre pour rendre gloire à Dieu de son plein gré, ne le savez-vous pas ? »

Je restai silencieux. Il n'y avait aucun bruit dans la salle, on n'entendait que la respiration du dormeur.

« Et pourquoi n'avez-vous pas interdit à vos paroissiens de se rendre au manoir, mon père ?

– J'y ai pensé, mais cela n'aurait servi à rien. Ils y seraient allés tout de même. Ils ne m'écoutent pas.

– Si aucune erreur ne s'est glissée dans les travaux de cet homme, les paysans de Morwede vous écouteront, dorénavant. »

Le curé me regarda, puis ses yeux se tournèrent vers le baron qui dormait dans son fauteuil.

« Vous croyez ? Connaissez-vous les gens du pays ? Les connaissez-vous seulement, jeune homme ? J'ai vieilli parmi mes paysans et mes bûcherons, jeune homme, je connais tous leurs soucis, leurs pensées, leurs souhaits et leurs désirs. Je sais ce qui se passe dans le secret de leur âme, et j'ai peur. »

Il fit un geste en direction du baron.

« ... Voyez-vous, je suis venu ici pour lui parler une dernière fois. Je pensais que je parviendrais peut-être à le faire changer d'avis à la dernière minute, à lui faire prendre conscience de la responsabilité qu'il assume, à le retenir. Je suis resté assis là, j'ai observé son sommeil pendant une demi-heure. Si seulement un tressaillement d'inquiétude avait traversé son visage, si un soupir était venu du plus loin de ses rêves... Mais regardez donc comme il dort tranquillement. Il est impossible de mettre en garde un homme capable de dormir aussi calmement une heure avant de prendre une pareille décision. Je n'ai plus rien à lui dire. Je m'en vais. Bonne nuit. »

Je quittai la salle à mon tour et gravis l'escalier en colimaçon pour aller chercher Bibiche.

CHAPITRE VINGTIÈME

DANS le petit salon où le baron avait coutume de prendre son moka et de lire son journal, après le repas, je trouvai Federico et le prince Praxatine. Quand j'entrai, ils étaient assis à la table de jeu. D'un signe de la tête, Praxatine me salua distraitement, sans se préoccuper davantage de moi. Federico, en revanche, me jetait constamment des regards par-dessus ses cartes. Il savait que je revenais de la maison du garde forestier. D'ordinaire, je lui donnais toujours des nouvelles de la petite Elsie, je lui disais qu'elle allait mieux ou bien qu'elle s'était enquise de lui. Mais cette fois-là, je ne lui dis rien. Je voulais conseiller au baron d'envoyer la petite dans le sud, or soudain, cette décision ne me sembla plus être une simple mesure médicale dont la nécessité ne faisait aucun doute pour moi, mais bien plutôt une vile trahison à l'égard de Federico. Ses grands yeux bleus qui me fixaient et m'interrogeaient me mirent mal à l'aise. Je tentai d'éviter son regard et fis mine de m'intéresser au jeu.

Je ne me souviens plus très bien de quel jeu il s'agissait, mais les regards moroses du Russe et les cris de colère qu'il proférait en russe et en allemand au cours des différentes phases de la partie me firent comprendre que le jeu ne prenait pas la tournure qu'il souhaitait.

Soudain, il jeta ses cartes sur la table.

« Je n'y comprends rien, Federico ! s'écria-t-il. Hier, vous n'avez pas été capable de gagner une seule partie, et aujourd'hui, vous êtes tout à coup passé maître, vous avez complètement changé votre façon de jouer, vous utilisez même contre moi des trucs que je vous ai enseignés, et j'ai déjà été contraint de vous rendre le bon que vous m'avez signé hier. Il y a là quelque chose d'anormal. Maintenant, Federico, ne regardez pas le docteur, regardez-moi dans les yeux : qui vous a enseigné ces trucs ?

– Personne, répondit Federico. J'ai réfléchi pendant la nuit à la façon dont je devais jouer pour vous battre.

– Vous y avez réfléchi pendant la nuit ! s'exclama le Russe, que ces propos indignaient. Mais il vous est interdit de réfléchir, vous vous accordez ainsi un avantage auquel vous n'avez pas droit. Voyez-vous cela ! Le renard fait semblant de dormir, mais en réalité, il compte les poules ! Voilà qui n'est pas très fair-play, Federico. Entre gentlemen, il n'est pas d'usage de réfléchir et d'imaginer des trucs.

– Je ne le savais pas. »

Le Russe s'adressa alors à moi :

« Docteur, vous devez croire que c'est pour mon plaisir que je joue avec Federico, pour passer le temps ou peut-être même pour gagner de l'argent, dit-il en battant les cartes avant de les distribuer à nouveau. Détrompez-vous, docteur. J'ai accepté la charge de former son esprit et de l'initier aux grands problèmes qui ne satisfont que les penseurs, car j'ai un fort penchant pour la philosophie, je ne cesse de réfléchir à des choses difficiles, comme, par exemple, les limites de l'univers. Ce problème me préoccupe jour et nuit. Mais avant d'entreprendre cette tâche hardie, il faut d'abord que j'initie Federico aux lois de la pensée logique. C'est à cela que me sert le jeu de cartes. Je joue avec lui tous les jours, cela me prend beaucoup de temps. Mais ma démarche est sous-tendue aussi par des intentions éducatives. Mon but est que Federico se lasse du jeu. Dans un an déjà, il ne supportera peut-être même plus la vue d'un jeu de cartes. Je vais lui transmettre une véritable aversion pour tous les jeux de cartes. Je le préserverai ainsi des dangers auxquels je n'ai moi-même pas toujours su échapper. Je suis triste, docteur, quand je pense à ma vie passée. On peut retrouver tout ce qu'on a perdu dans l'existence, docteur. Il n'y a guère que le temps qu'on ne retrouve jamais. Je profite aussi de ces exercices pour faire un peu de conversation française. »

Il venait de distribuer les cartes et s'adressa à Federico :

« ... *Mais vous êtes dans les nuages, mon cher. A quoi songez-vous? Prenez vos cartes, s'il vous plaît. Vous êtes le premier à jouer*[1]. »

Federico prit les cartes et les reposa immédiatement. Il me regardait.

« Docteur, on dirait que vous avez quelque chose à me dire. »

Je fis signe que non.

« ... Ou bien que vous voulez me cacher quelque chose. C'est cela, vous me cachez quelque chose. »

Son regard, qui trahissait une interrogation anxieuse, me troublait.

« Je voulais attendre un peu et ne vous l'annoncer que demain. Mais puisque vous me posez la question... Je pense qu'il est nécessaire que la petite Elsie... »

Il sembla avoir deviné ce que je voulais lui dire. L'anxiété et la tension disparurent sur-le-champ de son visage et firent place à la haine, une haine que je n'avais encore jamais vue sur un visage humain et qui me remplit d'effroi. Sous l'emprise de ce regard, je cédai à la lâcheté et je rectifiai :

« Je ne pense pas qu'il soit nécessaire de maintenir

1. En français dans le texte. (N.d.T.)

l'isolement de la petite Elsie. Je ne suis plus opposé à ce que vous lui rendiez visite. »

Il me regarda avec méfiance tout d'abord puis il eut l'air surpris, perplexe, et finalement, son visage rayonna de joie :

« Je peux aller la voir ? s'écria-t-il. Vous me le permettez ? Et moi qui vous croyais mon ennemi. Vous me déliez de ma promesse ? Je vous remercie. Donnez-moi la main. Je vous remercie. Et maintenant, j'y vais.

– N'y allez pas tout de suite, lui demandai-je. Elle dort. Vous allez la réveiller.

– Non, je ne la réveillerai pas. J'entrerai et je ressortirai de sa chambre sans faire le moindre bruit. Je ne vais même pas respirer. Je veux simplement la voir. »

Son visage s'assombrit soudain.

« ... Vous ne direz pas à mon père que je suis allé rendre visite à Elsie, n'est-ce pas ?

– Non, je ne vous trahirai pas.

– Vous savez que si mon père l'apprend... Il m'a déjà menacé une fois de l'envoyer en Suisse ou en Angleterre. Mais je ne pourrais pas vivre sans elle.

– Votre père n'en saura rien », promis-je en abandonnant l'idée d'envoyer l'enfant dans le Sud.

« Elle guérira aussi bien ici, me dis-je pour apaiser ma mauvaise conscience. L'air de la forêt est peut-être précisément ce qu'il lui faut, et dans quelques semaines, ce sera le printemps... »

Federico se tourna vers le Russe.

« Je m'en vais, Arkadi Fiodorovitch. Vous avez entendu, le docteur m'a délié de ma promesse. Adieu. Je suis désolé de vous avoir fâché. Demain, Arkadi Fiodorovitch, vous aurez votre revanche. »

Il sortit. Le Russe lui lança un regard irrité, puis il se mit à me faire des reproches :

« Fallait-il que vous lui disiez cela maintenant, en plein jeu ? Vous auriez pu attendre un peu. Que peut-on encore faire maintenant ? Rien du tout. Il est huit heures. Il ne me reste plus qu'à descendre et à m'occuper de nos invités. »

Lorsque je retournai dans la salle, j'y trouvai Bibiche. Elle était seule.

Elle se leva d'un bond, se précipita vers moi et me saisit les mains, en proie à une agitation dont elle seule était capable.

« Où étais-tu? s'écria-t-elle. Je t'ai cherché partout! Voilà des heures que je te cherche. J'ai terminé, tu entends? J'ai terminé mes travaux! Cela fait des jours que je ne t'ai pas vu. As-tu pensé à moi, au moins? On dirait que je ne t'intéresse plus, n'est-ce pas? Eh bien? Qu'attends-tu? Il faut peut-être que je te supplie de m'embrasser? Merci. Très aimable. Oui, tu peux m'embrasser encore une fois. Il est descendu, mais j'arriverai bien à l'apaiser. »

Je ne compris pas immédiatement qu'elle parlait du baron von Malchin.

« ... Je me suis disputée avec lui. La discussion a été orageuse. Avec qui? Avec le baron. C'était à cause de la drogue. Il pensait que nous deux, lui et moi, ne devions pas en prendre, que nous étions les chefs, comme il dit, que nous devions garder la tête froide, rester lucides et garder nos distances, que nous étions là pour conduire les autres et non pour nous laisser entraîner par eux. C'est à ce sujet que nous nous sommes querellés. Je lui ai dit que garder nos distances, cela signifiait rester en dehors des choses et que c'est précisément parce qu'il était le chef qu'il devait éprouver les mêmes sentiments que la masse et penser ce qu'elle pense. Je ne suis pas parvenue à le convaincre et lui ne m'a pas persuadée non plus. Il était un peu contrarié quand il m'a quittée.

– Vas-tu absorber la drogue, Bibiche?

– Viens, assieds-toi, dit-elle en m'attirant à elle sur le banc, près de la cheminée. Chéri, je l'ai déjà prise. Si tu veux me mettre en garde, il est trop tard. Il fallait que je la prenne. Tu dois me comprendre. Je ne suis pas très heureuse, tu sais. Et si je ne le suis pas, c'est peut-être parce que j'ai perdu ma foi. J'aimerais tant pouvoir prier à nouveau comme lorsque j'étais enfant. Depuis qu'ils ont abattu mon père – tu ne le savais pas? Ne te l'ai-je pas raconté? Quand la République a été proclamée en Grèce... Non, ce n'est pas arrivé dans un combat de rue. Il a été légalement condamné à mort et fusillé. Il était l'aide de camp du roi. De la maison où nous habitions, nous avons entendu les roulements de tambour et la salve. Depuis ce jour-là, je n'ai plus jamais prié. J'ai reporté toute ma foi sur la science, et je me suis détournée de Dieu. J'aimerais tant pouvoir prier à nouveau, je voudrais retrouver la foi de mon enfance. Me comprends-tu à présent? »

Pendant un moment, nous restâmes tous deux silencieux. Elle posa la tête sur mon épaule.

« ... Je suis passée chez toi, aujourd'hui, le sais-tu, dit-elle soudain. Je suis passée chez toi et je t'ai cherché. Je t'ai attendu, toute seule dans ta chambre. Je t'avais promis de venir dès que j'aurais terminé mes travaux. J'avais très peur, mais je suis montée malgré tout, très vite, et je t'ai attendu dans ta chambre. Ton logeur tousse toujours autant. Pourquoi y a-t-il toujours cette odeur de chloroforme chez toi? Cela donne sommeil. Avec ce feu dans la cheminée et le silence, j'ai failli m'endormir. Et toi? Où étais-tu? Tu m'as fait attendre. Est-ce pour moi que tu es venu ici? Tu m'as cherchée partout, sauf chez toi? Voilà qui est amusant. »

Elle rejeta la tête en arrière et se mit à rire, avec les yeux et les ailes du nez.

« ... Non, je ne repasserai pas chez toi aujourd'hui, dit-elle alors. Je me sens un peu fatiguée, tu sais, je ne vais pas tarder à rentrer. Ne prends donc pas cet air consterné. Je viendrai demain. A neuf heures? Non, plus tôt, beaucoup plus tôt. Dès qu'il fera nuit. On frappera à la porte et Bibiche sera là. Il suffit que tu t'arranges pour être seul. Mais j'oubliais que demain, c'est dimanche. Ne le sais-tu pas ? Où donc vis-tu, dis-moi ? On voit que tu te portes bien. Il n'y a que dans les rêves ou quand on va très bien qu'on oublie le temps. »

Tard dans la nuit, je retournai au manoir.

J'entrai dans la grande salle, surchauffée, remplie de nuages de fumée dense et âcre et où flottait une odeur de bière et de nourriture refroidie. Quelque part, un accordéon gémissait. Les paysans buvaient de la bière et discutaient un peu plus bruyamment que d'habitude. De temps en temps, des plaisanteries que je ne comprenais pas volaient d'un bout à l'autre de la table. Les femmes voulaient partir. Mon logeur, le tailleur, s'approcha de moi en compagnie d'un autre homme qu'il me présenta comme son beau-père et voulut absolument que nous prenions un verre ensemble.

Je ne vis pas le baron. J'aperçus seulement le prince Praxatine. C'est lui qui jouait de l'accordéon. Il était assis à califourchon sur un fût de bière vide et chantait une chanson russe aux paysannes qui le regardaient fixement, l'air étonné et perplexe. C'était la chanson des hussards noirs qui partent à la guerre. Praxatine était le seul à avoir trop bu.

CHAPITRE VINGT ET UNIÈME

LE lendemain, j'attendis chez moi toute la journée, et lorsque la nuit commença à tomber, je rangeai le livre que j'avais lu jusque-là. Je ne ressentais pas la moindre impatience, j'étais sûr que Bibiche viendrait et je goûtais le bonheur de l'attente et de l'agitation discrète qui me faisait palpiter comme on goûte un fruit sucré ou un vin vieux et capiteux. Le temps passait – que m'importait ! « A un moment donné, me dis-je, quand il fera nuit, quelqu'un frappera à la porte, et ce sera Bibiche. »

« Mais quand fera-t-il nuit ? » Je pouvais encore distinguer la chaise, la table, le miroir et l'armoire de ma chambre, et même les personnages shakespeariens de l'héliogramme, sur le mur, le roi, le bouffon, la femme qui implorait protection et la légation exotique. Il ne faisait donc pas encore vraiment sombre. Pendant un moment, je contemplai la gravure – les contours commençaient à se brouiller, je ne distinguais plus que le roi et le bouffon, puis ils disparurent à leur tour, mais le cadre doré se détachait nettement du mur et de la gravure, il ne faisait donc toujours pas complètement nuit.

Je ne regardai pas ma montre – l'heure n'avait aucune importance. Il pouvait être six heures, ou peut-être même sept... Non, il ne pouvait pas encore être si tard, car ma logeuse avait coutume de m'apporter mon dîner entre six heures et demie et sept heures. Je n'avais pas faim. J'étais allongé sur le canapé et je fumais. Il faisait déjà tellement sombre que je ne parvenais plus à distinguer les volutes de fumée de ma cigarette.

« Il fait nuit, Bibiche, dis-je tout haut. Il fait nuit depuis longtemps. Personne ne peut te voir si tu viens me rejoindre maintenant. Et il faut que tu viennes, tu m'entends? Il faut que tu viennes tout de suite. Je le veux. Tu ne peux me faire attendre plus longtemps, entends-tu? »

Je serrai les dents, je retins ma respiration et tentai de concentrer mes pensées sur la venue de Bibiche. Je lui donnai l'ordre de venir. Puis je fermai les yeux et crus la voir sortir du presbytère, sous l'emprise de ma volonté, et traverser à petits pas prudents la rue du village recouverte de neige. J'étais tout à fait sûr qu'elle ne tarderait pas à frapper à ma porte, je voulais l'entendre gravir les marches grinçantes de l'escalier de bois. Et tandis que je guettais ainsi le bruit de ses pas qui ne voulait pas venir, l'horloge du clocher se mit à sonner.

« Il n'est donc que six heures. Je savais bien qu'il n'était pas encore sept heures, car on m'aurait monté mon dîner. » Mais ma logeuse était peut-être en retard, pour la première fois? Je n'avais pas compté les coups. J'allumai finalement la lumière pour regarder ma montre.

Je sursautai : il était huit heures.

C'est curieux, sur le moment, je pensai seulement à ma logeuse. Je me faisais du souci pour elle. « Que lui est-il arrivé? me demandai-je. Pourquoi n'est-elle pas montée? Bah! De toute façon, cela n'a aucune importance. La femme du tailleur ne m'intéresse pas. Bibiche! Où est Bibiche? Pourquoi n'est-elle pas là? Que lui est-il arrivé? »

C'est alors seulement que la peur, une peur véritable, s'empara de moi.

« Bibiche a pris la drogue. Qui sait quels effets secondaires cette substance peut provoquer dans l'organisme ? Personne ne l'a testée auparavant, ou plutôt si, une fois, mais j'ai fait échouer cette tentative. C'est de ma faute. C'est de ma faute s'il lui est arrivé quelque chose. Elle est peut-être malade, elle a eu un malaise cardiaque, elle est en train d'appeler à l'aide et personne ne l'entend. Elle a besoin de moi et je ne suis pas auprès d'elle... »

Je me précipitai dehors, dans la rue. C'est ce jour-là que je croisai le motocycliste. L'image de cet homme qui descendait la rue du village avec deux lièvres sur le dos et qui sauta de sa moto devant l'auberge me revint en mémoire après mon réveil à l'hôpital. En voulant éviter cet homme, je tombai à terre. « Où a-t-il bien pu trouver ces lièvres ? me demandai-je en me relevant. La chasse au lièvre et à la perdrix est fermée. » Je remarquai alors que je tenais toujours ma montre à la main et que j'avais cassé le verre en tombant. Je la remis dans ma poche et repris ma course.

La porte par laquelle on accédait au laboratoire était grande ouverte. J'entrai. Les pièces étaient plongées dans l'obscurité et il y faisait un froid glacial. J'allumai la lumière. Bibiche n'était pas chez elle.

Je poussai un soupir de soulagement. Non, Bibiche n'était pas malade, elle était sortie, simplement. Un petit espoir se fit jour en moi. « Peut-être est-elle chez moi en ce moment. Elle est probablement arrivée juste après mon départ. Hier aussi, elle m'y a attendu pendant que je la cherchais partout. »

Je retournai précipitamment à la maison. Une fois arrivé, je gravis lentement l'escalier, le cœur battant, je pouvais prendre tout mon temps. J'ouvris la porte sans faire de bruit, car je voulais lui faire une surprise.

Mais elle n'était pas là. Je trouvai ma chambre dans l'état où je l'avais quittée, seul le feu s'était éteint dans la cheminée. Une grande tristesse s'empara alors de moi, j'avais perdu tout espoir de voir Bibiche. Quelque chose était arrivé, quelque chose l'avait empêchée de tenir sa promesse. Mais quoi? Que pouvait-il être arrivé?

A ce moment, tremblant de froid et animé de sombres pensées devant le feu éteint, j'eus une idée.

« Bibiche est à l'église. C'est sûrement là qu'elle est allée. Pourquoi n'y ai-je pas pensé plus tôt? La drogue! Elle a retrouvé sa foi et pour la première fois depuis des années, elle prie Dieu. Elle est agenouillée sur les dalles de pierre froides au milieu des paysans tombés en extase ou tenaillés par la peur de l'enfer, et qui ont absorbé la drogue eux aussi, et l'orgue gronde, le curé donne sa bénédiction et récite l'*Ave Maria,* et son âme s'unit à Dieu. »

A l'église! Je fus frappé de voir la rue si déserte. Je ne rencontrai pas âme qui vive en chemin. L'église n'était pas éclairée, tout était silencieux, je n'entendais pas l'orgue. J'ouvris la lourde porte et j'entrai.

L'église était déserte.

Sur le moment, mon étonnement fut immense, car jamais auparavant je ne l'avais vue aussi vide. Puis je me dis que les vêpres étaient déjà passées, il était huit heures et demie. Mais où donc se trouvait Bibiche? Elle n'était pas chez elle, elle n'était pas à l'église... Où pouvait-elle bien être?

La réponse était évidente : elle se trouvait au manoir, chez le baron von Malchin. Il était fâché, ils s'étaient querellés et elle avait du mal à l'apaiser. C'était la raison pour laquelle elle n'était pas venue chez moi.

Un vent glacial soulevait des rafales de neige et venait me fouetter le visage en bourrasques courtes et violentes. Je relevai le col de mon manteau et marchai en luttant contre la neige et le vent. Depuis, une semaine a passé. C'est le 24 février, un dimanche, vers neuf heures du soir, que je me suis rendu pour la dernière fois dans la demeure du baron von Malchin.

En chemin, je ne rencontrai qu'une seule personne. Je

la connaissais : c'était l'homme qui souffrait de névralgies. Il voulut passer son chemin, mais je l'arrêtai.

« Où allez-vous ? m'écriai-je. Alliez-vous chez moi ? »

Il fit non de la tête, puis il ajouta :

« Je vais au prêche.

– Au prêche ? Mais où prêche-t-on, aujourd'hui ?

– Partout dans le village, répondit l'homme. On prêche pour les pauvres gens. Chez le boulanger, le forgeron, à l'auberge du Cerf. Moi, je vais à l'auberge.

– C'est bon, allez-y, mais prenez garde à ne pas prendre froid. Et dégustez bien votre bière !

– Bon, j'y vais », répondit-il en reprenant péniblement sa marche à travers la neige.

Je trouvai le baron von Malchin dans le hall du manoir. Bibiche n'était pas avec lui.

CHAPITRE VINGT-DEUXIÈME

Le baron von Malchin était seul. Le jour qu'il avait tant attendu était enfin arrivé. Il s'y était préparé avec beaucoup de calme, et lorsque je le vis, je ne pus déceler en lui aucun signe d'émotion. La bouteille de whisky à moitié vide se trouvait sur la table, devant lui; il tenait un cigare, des volutes de fumée bleuâtre s'élevaient vers le plafond.

Il me demanda si j'avais rencontré le prince Praxatine, qu'il n'avait pas vu de la journée. Je ne pus le renseigner. Je m'inquiétais beaucoup pour Bibiche. Elle n'était pas non plus chez le baron. Où pouvait-elle bien être ? Je n'eus pas le courage de poser la question au baron. D'un geste brusque, presque autoritaire, il me fit signe de m'asseoir. Je voulais m'en aller, mais je ne le pouvais pas, car je sentais l'importance de l'heure, je devais rester.

Il se mit à parler. Il dressa une fois de plus devant moi le formidable édifice de ses projets et de ses espoirs qui semblait s'élancer vers le ciel telle une cathédrale gothique, et je l'écoutai, ému par la témérité de sa pensée. Il avait fini depuis longtemps son whisky, les volutes de fumée se faisaient plus épaisses, plus lourdes. Le baron parlait toujours de l'empereur et du nouvel empire qui devait venir malgré toutes les fausses espérances et les illusions dont les hommes étaient victimes.

« Et Federico? lui demandai-je, saisi soudain d'une crainte inexplicable. Connaît-il le destin qui lui est réservé? Se sent-il à la hauteur de sa tâche? Et le sera-t-il?

– Je lui ai enseigné ce que Frédéric II a enseigné à son fils Manfred. Je l'ai initié aux secrets de la nature du monde, du devenir des corps et de la création des âmes, de la fugacité de la matière et de la permanence des choses éternelles. Je lui ai appris à vivre parmi les hommes, et à rester malgré tout au-dessus d'eux. La grâce se trouve dans le sang de sa famille. A ceux qui sont issus du sang authentique, il est donné de savoir ce que nous autres ne pouvons que deviner ou acquérir grâce à l'effort. Il est le troisième Frédéric, celui qu'ont annoncé les sibylles. Il transformera son époque et changera les lois.

– Et vous? Quel rôle vous reviendra dans cette ère nouvelle? »

Son visage s'éclaira d'un sourire exalté.

« Je serai pour lui ce que saint Pierre fut pour le Sauveur : un simple pêcheur, mais qui restera toujours à ses côtés. »

Il se leva et guetta les bruits du dehors.

« Entendez-vous les cloches? me demanda-t-il. Vous les entendez, n'est-ce pas? Les paysans sont en train de former une procession à l'église. Ils vont venir et chanter leurs vieux chants mariaux, comme au temps de mon grand-père. »

J'entendais effectivement les cloches. « L'église est vide! lançaient-elles à travers les airs. L'église est vide! » Chaque coup de cloche retentissait comme un coup de marteau dans mon cœur et augmentait un peu plus la peur qui me tenaillait et que je ne pouvais plus supporter. Il me semblait que mon cœur allait éclater.

Une bourrasque d'air glacial s'engouffra dans la pièce. Le baron jeta un regard vers la porte.

« Est-ce que ce sont eux? demanda-t-il, l'air étonné.

Que me veulent-ils ? Ce n'est pas eux que j'attendais à cette heure. »

Je me retournai. L'instituteur se tenait dans l'embrasure de la porte.

« Vous êtes encore là, monsieur le baron ? s'écria-t-il dans un râle. J'ai couru jusqu'ici aussi vite que j'ai pu. Pourquoi n'êtes-vous pas parti ? Ne savez-vous donc pas ce qui se passe dehors ?

– Je le sais, répondit le baron von Malchin. Les cloches sonnent et les paysans arrivent en procession et chantent leurs chants mariaux.

– Des chants mariaux ? s'exclama l'instituteur. Les cloches sonnent, c'est vrai, mais elles sonnent le tocsin, et les paysans chantent effectivement, mais ce ne sont pas des chants mariaux, c'est l'Internationale, qu'ils ont entonnée. Ils veulent mettre le feu au manoir, monsieur le baron. »

Le baron le regarda sans dire un mot.

« ... Mais qu'attendez-vous encore ? s'écria l'instituteur. Vos fermiers arrivent, armés de fléaux et de faux. Nous n'avons jamais été amis, monsieur le baron, mais aujourd'hui, il y va de votre vie. Je vous en conjure, croyez-moi, c'est votre vie qui est en jeu. Qu'attendez-vous pour sortir votre voiture du garage ? Fuyez ! »

Nous entendîmes alors la voix du curé :

« Il est trop tard, ils ont encerclé la maison. Ils ne le laisseront pas sortir. »

Le curé, appuyé au bras de Federico, descendait l'escalier. Sa soutane était en loques, le grand mouchoir à carreaux bleus qu'il pressait contre sa joue était taché de sang. Des cris sauvages nous parvenaient de l'extérieur. L'instituteur ferma la porte et mit la clef dans sa poche.

« ... Ils se sont jetés sur moi et m'ont battu, raconta le curé. Il y avait aussi des femmes avec eux. Ils m'ont emmené de force et m'ont enfermé dans une grange.

Mais ensuite ils ne se sont pas occupés de moi, et j'ai pu m'échapper. »

Une pensée traversa mon esprit. « Où est Bibiche? Pour l'amour du ciel, il faut que je la retrouve. Elle est seule, dehors, avec cette horde de paysans déchaînés! »

« Laissez-moi sortir, il faut que j'aille la rejoindre! » dis-je à l'instituteur, mais il ne voulut rien entendre.

« Si seulement j'avais eu le temps de lâcher les chiens... », murmura le baron.

Il sortit son revolver et le posa devant lui sur la table. Federico s'approcha de lui sans dire un mot, il tenait entre ses mains l'énorme épée sarrasine qui s'appelait *Al Rosoub*. Il devait avoir pris cette arme tout à fait inutile sur le mur, dans le bureau du baron.

« Je vous en conjure, monsieur le baron, ne tirez pas! s'écria le curé. Ecoutez ces gens calmement. Essayez de parlementer avec eux, de gagner du temps. Les gendarmes vont arriver. »

Je pris l'instituteur par l'épaule.

« Je veux sortir d'ici, vous entendez? Donnez-moi la clef! » m'écriai-je, mais il se dégagea et c'est en vain que je m'acharnai sur la porte close.

« Les gendarmes? fit le baron. Qui les a avertis?

– Moi, répondit le curé. J'ai téléphoné trois fois à Osnabrück, aujourd'hui : à midi et dans la soirée.

– Vous avez alerté les gendarmes, monsieur le curé? Vous saviez donc dès midi que...

– Non, je ne savais rien du tout, mais je me doutais de l'issue de ces événements et j'avais peur. Je vous avais pourtant averti : “ Vous croyez invoquer Dieu, mais c'est Moloch qui viendra. ” Et c'est effectivement Moloch qui est venu. L'entendez-vous? »

Dehors, on frappait à coups de poing, de gourdin et de hache contre la porte. Le baron saisit son revolver, puis il ordonna à Federico :

« Tu vas monter dans ta chambre, maintenant.

– Non », répondit Federico.

Le baron tressaillit en entendant ce « non », comme s'il avait reçu un coup de fouet.

« Tu vas monter et t'enfermer dans ta chambre, répéta le baron.

– Non.

– Federico ! As-tu oublié ce que je t'ai enseigné ? C'est écrit dans l'antique loi de l'Empire : " Honni soit celui qui refuse l'obéissance à son père. Que son honneur soit perdu à jamais. "

– Je reste ! » dit Federico.

C'est ainsi que je vis le garçon pour la dernière fois, c'est cette image qui s'est gravée dans ma mémoire : planté devant le baron, les mains posées devant sa poitrine sur l'immense épée des Staufen, sans peur, immobile, semblable à la statue de pierre de son illustre aïeul.

Nous entendîmes alors la voix de Bibiche à l'extérieur.

« Ouvrez, ou nous enfoncerons la porte ! »

Je crois que ce fut le baron lui-même qui alla ouvrir. Au même instant, une douzaine de paysans armés de haches et de fléaux, de couteaux et de gourdins entrèrent, et à leur tête se trouvait Bibiche, le regard haineux, dur et froid. Derrière elle se trouvait le prince Praxatine, dernier représentant de la famille Rurik. Il hurlait les paroles de l'Internationale en russe et agitait un drapeau rouge.

« Arrêtez ! cria le baron à l'adresse des paysans. Halte-là, ou je tire. Que voulez-vous ? De quel droit vous permettez-vous de vous introduire ici ?

– Nous sommes le comité révolutionnaire des travailleurs et paysans de Morwede et nous sommes venus pour prendre ce qui nous appartient, cria mon logeur , le tailleur, depuis la porte.

– Bande de vauriens ! hurla le baron. Vous n'êtes que des émeutiers, des bandits pris de boisson.

– Debout les damnés de la terre ! » hurla le prince Praxatine, tandis que l'épicier se précipitait vers la porte pour lancer aux paysans qui étaient restés dehors :

« Nous le tenons. Il est là.

– Guerre aux palais ! cria le prince Praxatine. Vive la libération du prolétariat ! Mort aux propriétaires terriens et à leurs laquais !

– Pendez-le ! Pendez-le ! lançaient des voix de l'extérieur. Les arbres ne manquent pas, ici, ni même les poteaux télégraphiques.

– Mes amis ! se lamentait le curé. Pour l'amour du ciel, soyez raisonnables !

– Mort au curé ! » cria une voix.

Une femme, le visage déformé par la colère, émergea entre les têtes des paysans. Elle tenait un couteau à la main et s'apprêtait à frapper le curé.

« Arrière ! cria le baron von Malchin d'une voix cinglante, restaurant ainsi le calme pour quelques instants. Un pas de plus, et je tire. Si vous avez quelque chose à me dire, que l'un de vous s'avance et parle, et que les autres se taisent ! Bien. Que l'un de vous parle ! Lequel d'entre vous veut s'avancer ?

– Moi, dit Bibiche. C'est moi qui parlerai. »

Le baron von Malchin se pencha en avant et la regarda droit dans les yeux.

« Vous, Kallisto ? s'écria-t-il. C'est vous qui allez parler au nom de cette racaille ?

– Je vais parler au nom des travailleurs et des paysans de Morwede. Je m'exprime au nom des masses laborieuses qui souffrent ici comme partout ailleurs. Je parle au nom des exploités et des opprimés. »

Le baron von Malchin fit un pas vers elle.

« Vous m'avez trompé, n'est-ce pas ? lui demanda-t-il très calmement. Vous m'avez trompé jour après jour. Voilà donc en quoi a consisté votre travail ! Quel poison avez-vous donné à ces gens ? Avouez ! »

Il saisit sa main, mais elle se dégagea.

« Regardez-le ! lança-t-elle à la foule des paysans. Voici le parasite qui vous ronge. C'est l'homme qui vous enlève la dernière vache qui vous reste quand vous ne pouvez plus payer les fermages pour votre champ de pommes de terre. Il ne s'est pas passé de jour sans que vous ayez souffert de la faim à cause de lui, pas un jour sans qu'il ne se soit enrichi grâce à votre misère. Maintenant, il est devant vous. Réglez vos comptes avec lui !

– C'est assez ! cria le baron. J'ai d'abord des comptes à régler avec vous. Vous m'avez abusé. Vous avez anéanti l'œuvre de toute ma vie. Pourquoi avez-vous agi de la sorte ? Qui vous a payée pour le faire ? »

Je ne suis pas sûr de pouvoir raconter correctement ce qui se passa ensuite. Il est possible que l'ordre dans lequel les choses se sont déroulées ait été différent. Je vis un objet tranchant – peut-être s'agissait-il d'une hache – passer tout près de la tête du baron. Il leva son revolver et visa. Le coup partit, mais c'est moi que la balle toucha : je m'étais jeté devant Bibiche pour la protéger.

Je ne sentis pas tout de suite que j'étais blessé. Les paysans se précipitèrent en avant, je ne voyais plus le baron. J'entendis Federico crier :

« Arrière ! »

Et le curé se lamentait :

« Mes amis, mes amis ! C'est un meurtre. Les gendarmes vont arriver d'un moment à l'autre. »

Le prince Praxatine passa à côté de moi, la tête ensanglantée. Je vis l'aubergiste, touché par un coup à plat que Federico lui avait assené avec son épée, chanceler puis s'effondrer. Le forgeron avait saisi l'un des lourds fauteuils et voulait le lancer sur Federico. Je pris la bouteille de whisky et la fracassai sur sa main. Il poussa un cri de douleur et lâcha le fauteuil.

Je sentis alors une douleur lancinante dans l'épaule.

La pièce se mit à chavirer autour de moi. Je vis un fléau s'élever au-dessus de ma tête, prêt à s'abattre sur moi.

« Les gendarmes! Les gendarmes arrivent », cria le curé.

J'entendis les sirènes et des voix qui lançaient des ordres, le fléau se trouvait toujours au-dessus de ma tête, et ensuite...

Ensuite, je perdis connaissance.

CHAPITRE VINGT-TROISIÈME

JE suis allongé, bien enveloppé, dans mon lit. L'infirmière a ouvert la fenêtre pendant quelques minutes, et une bouffée d'air frais parvient jusqu'à moi. Cela me fait du bien. Je ne ressens plus aucune douleur, je peux même remuer le bras. Mais ce qui m'irrite, c'est que je ne suis pas rasé, je sens ma barbe qui a poussé, et cet état m'a toujours été insupportable. Je voudrais me lever, aller et venir dans ma chambre, mais l'infirmière me le défend, elle dit qu'il faut que j'en demande l'autorisation au médecin-chef.

Comme je hais cette femme ! Elle est assise près de la fenêtre et boit son café à grandes gorgées, son crochet posé sur ses genoux. Maintenant, elle me jette un regard par-dessus le bol de café qu'elle porte à ses lèvres. Son visage niais exprime une sorte de désapprobation : elle préférerait probablement que je ne m'agite pas autant ou même que je dorme. Mais je n'arrive pas à dormir, je ne me sens pas fatigué, bien que je n'aie pas fermé l'œil de la nuit.

En effet, j'ai passé la nuit à réfléchir. Je voyais le manoir aux murs recouverts de vigne vierge, je voyais le puits et le pavillon du jardin, le clocher carré et les maisons du village envahies jour après jour, du matin au soir, par un épais brouillard blanchâtre. Je pensais à ma misérable chambre où Bibiche était devenue ma maîtresse et qui me semblait désormais être un paradis. Bibiche ! Comme elle avait changé au cours de cette horrible nuit ! Quelle folie s'était emparée d'elle ? Et les gens de Morwede... Qu'est-ce qui les avait poussés à se jeter sur ce rêveur, le baron von Malchin, comme une horde de chiens enragés ? Je n'avais toujours pas trouvé de réponse à cette question. Je mis alors fin à mes méditations. J'avais l'impression qu'une lourde pierre pesait sur ma poitrine et que je ne pouvais pas m'en libérer.

Vers le matin, finalement, je parvins à m'endormir.

Le médecin-chef arriva dans ma chambre, accompagné de ses deux assistants. Cette fois, on ne changea pas mon pansement.

« Eh bien ? Comment vous portez-vous, aujourd'hui ? me demanda le médecin-chef. Avez-vous bien dormi ? Ressentez-vous des douleurs ? Et comment va l'appétit ? Moyennement, n'est-ce pas ? Bah, il reviendra avec le temps. Mais forcez-vous tout de même à manger un peu. Ah oui, je voulais vous demander de m'expliquer cette histoire de fléau. Vous m'avez promis de m'en dire davantage.

– De toute façon, vous ne me croirez pas, dis-je. Vous refusez de me croire. »

Il se caressa la barbe.

« C'est un préjugé que vous avez là. Par principe, je crois tout ce que me disent mes patients. Pour moi, ils ont toujours raison. »

Il n'aborda cependant plus le sujet. Il donna quelques précisions sur mon régime alimentaire à l'infirmière, puis il voulut quitter la chambre. Je le retins et lui demandai de m'envoyer quelqu'un qui vienne me faire la barbe.

« Je m'en occupe, dit le Dr Friebe en notant quelque chose sur son calepin. »

Le médecin-chef sourit :

« Vous voilà donc revenu parmi nous. La vanité reprend ses droits, cela veut dire que vous commencez à vous occuper des gens qui vous entourent. C'est bon signe. »

Il sortit, et cinq minutes plus tard, je vis entrer le prince Praxatine, vêtu de sa blouse de coutil à rayures blanches et bleues, tenant à la main un blaireau et tout l'attirail nécessaire au rasage.

Il avait l'air maussade, l'ordre qu'on lui avait donné lui était visiblement désagréable. Pourtant, il était déjà venu souvent dans ma chambre, on eût dit que quelque chose le poussait irrésistiblement à venir me voir. En fait, je crois qu'il voulait simplement s'assurer que je ne l'avais pas reconnu. Il évitait d'ailleurs toujours soigneusement de s'approcher de moi et ne me regardait à la dérobée que lorsqu'il croyait que je ne l'observais pas. Ou bien avais-je mal interprété son comportement? Il était peut-être méfiant ou bien il avait peur. Peut-être attendait-il une occasion de me parler en cachette. S'il avait quelque chose à me dire, c'était le moment.

Il se pencha vers moi et me passa du savon à barbe sur le visage. Puis il commença à me raser – à mon grand étonnement, il s'y prenait très adroitement. Je suppose qu'il avait acquis cette habileté à l'hôpital, car à Morwede, il se faisait raser tous les soirs par l'un des domestiques.

Quand il eut terminé son travail, il me présenta un petit miroir. Il ne disait toujours rien. Mais moi, je devais lui parler, je voulais mettre un terme à ce petit jeu : il ne devait pas partir avant d'avoir répondu à mes questions. Il fallait que je sache enfin où se trouvait Bibiche et ce qu'il était advenu du baron von Malchin et de Federico. Praxatine savait tout cela, il devait me le dire.

« Qui vous a amené ici? » lui demandai-je à voix basse.

Il fit comme si la question ne lui était pas adressée.

« ... Comment se fait-il que vous soyez ici ? » demandai-je à nouveau.

Il haussa les épaules, puis, de sa voix douce et chantante, il répondit :

« Vous vouliez que l'on vous fasse la barbe. C'est le docteur qui m'a envoyé. »

Je perdis patience.

« Vous n'imaginez tout de même pas que je ne vous reconnais pas », dis-je sèchement, mais assez bas pour que l'infirmière ne pût rien entendre.

Ma réflexion le rendit nerveux. Il tenta d'éviter mon regard.

« Vous me connaissez ! dit-il d'un ton bourru. C'est bien possible, mais moi, je ne vous connais pas. Je vous ai fait la barbe, rien de plus. Avez-vous encore besoin de moi ? J'ai d'autres malades à raser.

– Arkadi Fiodorovitch ! dis-je tout bas. Lorsque je vous ai vu pour la dernière fois, vous portiez un drapeau rouge et vous chantiez l'Internationale.

– Qu'est-ce que je portais ?

– Un drapeau rouge. »

Il sursauta. Je le vis d'abord rougir violemment, puis devenir tout blême.

« Ce que je fais pendant mes loisirs, c'est mon affaire », dit-il à voix haute.

L'infirmière leva la tête.

« ... Je fais mon travail comme tout le monde. »

Il me lança un regard vengeur et ramassa ses affaires. En sortant, il se retourna encore une fois et s'écria :

« ... Et de toute façon, cela ne regarde personne. »

Puis il sortit en claquant la porte.

Quelques instants plus tard, le Dr Friebe entra dans ma chambre. Il s'assit sur le bord de mon lit et se mit à bavarder de choses et d'autres. Mais soudain, il dit :

« A propos, il paraît que tu t'es querellé tout à l'heure avec notre aide-soignant. Il en était tout retourné. Il est venu me voir pour se plaindre de toi en disant que tu lui avais reproché ses opinions politiques. Mon Dieu ! Tout le monde sait ici qu'il porte le drapeau rouge dans les manifestations communistes. Il a sa carte du parti. Certes, ce n'est pas un grand esprit, mais il fait correctement son travail et il est tout à fait inoffensif.

– Je ne trouve pas qu'il soit si inoffensif que cela, dis-je. Cet homme cherche à donner le change, il joue les imbéciles, je ne sais pourquoi.

– Mais non ! s'écria le Dr Friebe. Vraiment ? D'où le connais-tu ?

– J'ai fait sa connaissance dans le village où j'ai exercé en tant que médecin communal.

– Ah bon ! Et comment s'appelait ce village ?

– Morwede.

– Morwede, répéta-t-il pensivement. C'est vrai, il y a effectivement un village dans la région qui s'appelle ainsi. Nous avons eu un jour un patient qui travaillait là-bas, à la raffinerie de sucre.

– Il n'y a pas de raffinerie de sucre à Morwede.

– Si, il doit en exister une. C'est donc à Morwede que tu as rencontré notre aide-soignant. Voilà qui est intéressant. Et que faisait-il là-bas ?

– Il était régisseur d'un domaine.

– Arrête, dit le Dr Friebe. Cet homme s'entend à l'agriculture comme moi à la chasse au kangourou. Il doit être tout juste capable de distinguer un bœuf d'une vache. Lui, régisseur d'un domaine !

– Tu ne me crois pas, dis-je avec résignation. Il est inutile que je continue à en parler. Peut-être ne croiras-tu pas non plus... Te souviens-tu de l'étudiante grecque qui travaillait avec nous à l'Institut bactériologique ? Elle s'appelait Kallisto Tsanaris.

– Oui, je me souviens parfaitement d'elle.

– Elle aussi, je l'ai rencontrée à Morwede.

– Ah bon ! C'est curieux, car elle s'est mariée ici, à Osnabrück. Es-tu tout à fait sûr de ce que tu dis ? Lui as-tu parlé, à Morwede ? »

J'éclatai de rire.

« Si je lui ai parlé ? m'écriai-je. Elle est même devenue ma maîtresse. »

Je regrettai dans l'instant ce que je venais de dire. Je m'en voulus, même, d'avoir laissé échapper mon secret. Je venais de nous livrer, Bibiche et moi, aux mains du Dr Friebe.

« ... Mais garde cela pour toi, lui dis-je alors d'un ton brusque. Si tu dis un mot de cette histoire à quiconque, je t'étranglerai ! »

Il sourit et fit un geste destiné à me tranquilliser.

« Qu'est-ce que tu crois ? La discrétion est une chose normale pour moi, pour nous les hommes. Elle est donc devenue ta maîtresse.

– Oui. Pendant toute une nuit. Tu ne me crois toujours pas ?

– Oh si ! dit-il d'un air sérieux. Je te crois. Pourquoi ne devrais-je pas te croire ? Tu désirais qu'elle devienne ta maîtresse, il fallait absolument qu'il en soit ainsi, et donc, c'est arrivé. Tu as réalisé l'impossible, mais dans tes rêves, Amberg, dans ton délire. »

Un frisson glacé me parcourut, il me semblait qu'une main froide remontait vers mon cœur pour l'étouffer. Je voulus crier, mais aucun son ne sortit de ma bouche. Je regardai fixement l'homme qui était assis sur le bord de mon lit et qui semblait dire la vérité. Mais quelque chose se cabra en moi : « Non ! Non ! Non ! Il ment ! Ne l'écoute pas, il veut te voler Bibiche, il veut tout te prendre, qu'il s'en aille, je ne veux pas le voir plus longtemps. » J'eus alors un malaise, je me sentis faible tout à coup, exténué. J'étais si fatigué que je parvenais à peine à respirer. Un grand découragement s'empara de moi. Je savais qu'il avait dit la vérité : Bibiche n'avait jamais été ma maîtresse.

« Ne prends pas cet air catastrophé, Amberg. Il faut dédramatiser les choses. Les rêves nous donnent à profusion ce que notre misérable vie nous refuse trop souvent. Et la prétendue réalité, dans tout cela, que devient-elle, qu'en reste-t-il? Même ce que nous avons réellement vécu pâlit, s'estompe peu à peu, et un beau jour, le souvenir s'évanouit, comme un rêve.

– Va-t'en », dis-je en fermant les yeux.

Je voulais être seul, et chaque mot qu'il prononçait me faisait mal.

Il se leva.

« Tu finiras par oublier tout cela, dit-il en partant. De toute façon, tu aurais bien fini par l'apprendre un jour ou l'autre. Allez, demain tu verras les choses autrement. »

Lorsque je fus seul, je commençai enfin à comprendre ce qui m'était arrivé, et le désespoir le plus noir s'empara de moi.

« A quoi bon continuer de vivre? hurlait et se lamentait une voix au fond de moi. Pourquoi me suis-je réveillé? Ils m'ont sauvé artificiellement et m'ont ramené à la monotonie du quotidien. C'est la fin, j'ai tout perdu, je suis aussi pauvre qu'un mendiant. Dois-je continuer à vivre? Bibiche, Morwede, le feu de la Sainte Vierge, tout cela ne serait que les divagations de mes rêves et n'aurait existé que dans mon délire? » Mais déjà, mes souvenirs s'embrouillent, les images s'estompaient, les mots s'envolaient, mon rêve m'échappait. La chape de l'oubli descendait, tel le brouillard sur les maisons et les habitants de Morwede.

« Loué soit le Seigneur, dit tout à coup l'infirmière à haute voix.

– Pour l'éternité, amen », répondit une voix qui me fit tressaillir, car je la connaissais.

J'ouvris les yeux : le curé de Morwede se tenait au pied de mon lit.

CHAPITRE VINGT-QUATRIÈME

« C'EST vous, m'écriai-je, au comble de la surprise, tandis que mes mains palpaient sa soutane. Comment est-ce possible? Est-ce vraiment vous ou bien... »

Il porta son mouchoir à carreaux bleus devant sa bouche et se mit à tousser longuement, manifestement gêné. Puis il me fit oui de la tête.

« Vous avez l'air surpris que je vienne vous voir, dit-il. Ne vous y attendiez-vous pas? J'ai appris que vous étiez sorti de votre coma. Il était donc de mon devoir de prendre de vos nouvelles. Je vous ai peut-être fait peur? Ai-je réveillé en vous de mauvais souvenirs? »

Je me redressai dans mon lit pour le regarder. Je sentais l'odeur de sa soutane, cette odeur discrète de tabac à priser et d'encens : c'était bien lui. « Où est le Dr Friebe? » demandait une voix au fond de moi.

« ... Vous avez vécu des événements terrifiants, poursuivit le curé de Morwede. Mais, Dieu soit loué, tout cela est pratiquement fini, maintenant. Vous pourrez quitter l'hôpital dans quelques jours. Mais croyez-moi, ce fut un instant dramatique pour moi aussi lorsque je vous ai vu tomber.

– Où donc suis-je tombé?

– Dans le hall, juste au moment où les gendarmes sont arrivés. Ne vous en souvenez-vous plus?

– Vous êtes le curé de Morwede, n'est-ce pas? Vous

descendiez l'escalier en annonçant que la maison était cernée, et juste après, les paysans sont arrivés, c'est bien cela? Ou bien ai-je rêvé tout cela?

– Rêvé? fit le curé en secouant la tête. Comment pouvez-vous dire une chose pareille? Ces événements sont malheureusement aussi réels et vrais que ma présence ici, devant vous. Aurait-on par hasard cherché à vous faire croire que vous aviez rêvé? »

J'acquiesçai.

« Effectivement, les médecins veulent me convaincre que j'ai été renversé par une voiture, ici, à Osnabrück, sur la place de la gare, il y a cinq semaines, que je suis resté dans le coma pendant tout ce temps et que je ne suis jamais allé à Morwede. Et si vous n'étiez pas venu me voir, monsieur le curé...

– Cela ne me surprend nullement. Je m'attendais à ce genre de réaction. Il faut que vous sachiez que l'on cherche à étouffer l'affaire, et les chances d'y parvenir sont loin d'être négligeables, car il s'agit en l'occurrence de l'un de ces cas où les efforts d'un individu rejoignent les intérêts publics. En haut lieu, on ne souhaite pas être dans l'obligation de donner des informations sur une émeute de révolutionnaires qui a éclaté chez des paysans. Officiellement, donc, il ne s'est agi que de troubles locaux, sans aucune portée politique, et qui ont été rapidement réprimés. Les paysans sont retournés à leurs champs et à leurs charrues, et ainsi, on peut passer l'éponge. Mais il y a dans cet hôpital un témoin gênant. Il pourrait bien se mettre à parler, et il faudrait alors poursuivre l'instruction et peut-être même inculper certaines personnes. Comprenez-vous à présent pourquoi on veut vous convaincre que tout ce que vous avez vécu n'a existé que dans votre délire? Il y a des témoins qui parlent, et d'autres qui doivent se taire. Et vous, docteur, vous garderez le silence, n'est-ce pas? »

Je me sentis tout à coup libéré d'un grand poids.

« Maintenant, je comprends tout, dis-je. On veut me

voler une partie de ma vie. Mais nous deux, monsieur le curé, nous savons que je n'ai pas rêvé, nous savons que je suis vraiment allé à Morwede.

– Oui, nous deux, nous le savons, confirma le curé.

– Et le baron ? Ne parlera-t-il pas ? »

Les lèvres du curé se mirent à bouger comme s'il récitait tout bas une prière.

« Non, le baron ne parlera pas. Le baron von Malchin est mort. Il s'est effondré en plein tumulte, victime d'une crise cardiaque. Laissons-lui cette mort facile. Une minute plus tard, de toute façon, ses paysans l'auraient tué à coups de gourdin. »

Je gardai le silence et n'osai plus poser de questions.

« ... Eh oui ! reprit le curé. Le rêve de l'empire des Hohenstaufen s'est évanoui. Il n'y a plus de Kyffhäuser, plus d'empereur secret. Federico ? Je l'ai ramené chez son père, à Bergame. Il sera menuisier. La petite fille, la petite Elsie, se trouve dans un pensionnat en Suisse, elle ne sait pas encore que son père est mort. Peut-être se souviendra-t-elle dans quelques années du compagnon de son enfance. Elle ira alors le chercher dans son atelier de menuisier. Mais peut-être l'oubliera-t-elle.

– Et elle ? m'écriai-je. Qu'est-elle devenue ? »

Le curé sourit. Il avait deviné que je parlais de Bibiche.

« Elle est en sécurité. Vous ne saviez peut-être pas qu'elle était mariée. Elle n'aimait pas en parler, elle ne vivait plus avec son mari. Maintenant, elle est retournée vivre avec lui, ici, à Osnabrück. C'est lui qui cherche à étouffer toute cette affaire. C'est un personnage important dans cette ville, un homme très influent. N'essayez pas de lui mettre des bâtons dans les roues. Vous seriez seul dans ce combat, seul contre tant de gens. Moi ? Mon Dieu ! Non, docteur, vous ne pouvez pas compter sur moi. Faites attention : quand j'aurai quitté l'hôpital, personne n'admettra m'avoir vu. Quand je serai parti, je n'aurai été qu'une partie de votre rêve. Soyez raisonnable, docteur : quand les médecins vous diront à nouveau que vous avez fait ce rêve de Morwede dans un état de somnolence, n'insistez pas, dites amen à tous leurs discours. Ils ne font cela que pour cette femme, ne l'oubliez pas. Vous l'aimiez, vous aussi, si je ne m'abuse ?

– Mais pourquoi a-t-elle trahi le baron ? m'écriai-je. Pourquoi a-t-elle anéanti l'œuvre de sa vie ?

– Elle ne l'a pas fait, dit le curé en secouant la tête. Elle n'est en rien responsable du malheur qui s'est abattu sur lui. Elle s'est contentée d'exécuter son idée.

– Il y avait donc une erreur dans ses calculs. Comment a-t-il pu se tromper à ce point ? Pensez à l'issue terrible de son expérience !

– L'expérience a totalement réussi, docteur. Il ne s'est pas trompé. Il voulait ramener le monde vers la foi, mais la foi... L'Eglise du Christ est intangible et éternelle, tout comme la vérité. Mais la foi ? Chaque période de l'histoire a sa propre foi. Celle de notre époque, c'est tout simplement... »

Il fit un geste d'impuissance, sur son visage se peignirent une grande tristesse, une immense lassitude et une profonde résignation.

« Et la révolte, lui demandai-je timidement. Est-ce cela la foi de notre époque ? »

Le curé ne répondit pas.

Je fermai les yeux pour réfléchir. « La révolte ! Le rêve de l'instauration d'un nouvel ordre des choses par la violence... Cette foi, comme toutes les croyances, n'a-t-elle pas, elle aussi, ses apôtres et sa bible, son mythe et ses dogmes, ses prêtres et ses sectes, ses martyrs et son paradis ? Cette nouvelle doctrine n'est-elle pas persécutée et réprimée par les puissants de ce monde, comme tous les nouveaux courants de pensée ? Ne vit-elle pas secrètement dans le cœur de millions de gens qui sont obligés de la renier ? Le sang a été répandu dans le monde entier en son nom. Est-elle l'Evangile de notre temps ou bien s'agit-il de Moloch... »

« Monsieur le curé, aidez-moi! Quelle est la foi de notre époque? »

Il ne répondit pas.

J'ouvris les yeux et me redressai dans mon lit.

Le curé de Morwede n'était plus là. Il ne restait de lui qu'une légère odeur de tabac à priser et d'encens qui flottait dans la pièce.

« Mademoiselle, rappelez ce monsieur », demandai-je à l'infirmière.

Elle leva les yeux de son ouvrage.

« Quel monsieur?

– L'ecclésiastique qui vient de sortir.

– Je n'ai vu personne.

– Mais je parlais avec lui il y a à peine une minute. Il était debout là, au pied de mon lit. Il vient de sortir de la chambre. Un ecclésiastique, un prêtre! »

L'infirmière prit le thermomètre, le secoua et le plaça sous mon aisselle.

« Un prêtre? répéta-t-elle. Non, je n'ai vu personne. Vous avez certainement parlé tout seul. »

Je la regardai, surpris tout d'abord, puis je sentis la colère monter en moi. Mais finalement, je compris. Bien sûr, il me l'avait bien dit : « Quand je serai parti, personne n'admettra m'avoir vu. » Les choses se passaient exactement comme il l'avait prédit. Comme il avait raison!

Que m'avait-il conseillé de faire? De dire amen à tous leurs discours? Bien.

« Vous devez avoir raison, mademoiselle, je parlais tout seul. Cela m'arrive souvent. C'est une habitude exécrable, je le sais. Le médecin-chef repassera-t-il encore une fois, aujourd'hui? J'ai des choses urgentes à lui dire. »

Le médecin-chef s'arrêta dans l'embrasure de la porte.

« Eh bien ! Vous m'avez fait appeler. Il y a quelque chose qui ne va pas ? Avez-vous toujours de la fièvre ?

– Non, répondis-je. Je n'ai pas de fièvre. Je voulais simplement vous dire que maintenant, je me souviens très précisément des circonstances de l'accident : je traversais la place de la gare, au milieu d'un bruit d'enfer, je me suis arrêté pour ramasser un magazine que j'avais laissé tomber quand j'ai entendu juste derrière moi des coups d'avertisseur. La voiture a dû me renverser juste après. »

Il s'approcha de mon lit.

« Et qu'en est-il de l'histoire des fléaux ?

– Je suppose que ce n'était qu'un simple rêve, docteur. »

Je vis un grand soulagement se peindre sur son visage.

« Dieu merci ! s'écria-t-il. Je peux vous dire maintenant que votre état de santé me causait bien du souci. Je craignais une nouvelle hémorragie cérébrale, accompagnée de troubles psychiques. Mais il semble que le danger soit désormais écarté. Maintenant, il s'agit avant tout de reprendre des forces. Je pense que je pourrai vous laisser rentrer chez vous dans une semaine environ. Cela vous conviendrait-il ? »

CHAPITRE VINGT-CINQUIÈME

UNE semaine plus tard, m'appuyant sur une canne, je gravis les deux étages qui me séparaient du bureau du médecin-chef pour prendre congé de lui.

Il se leva et vint à ma rencontre.

« Vous voilà ! Vous vous êtes remis avec une rapidité étonnante, ces derniers jours. On vous reconnaît à peine. Donc, vous nous quittez aujourd'hui ? Quand je pense à l'état dans lequel vous êtes arrivé ici... Non, mon cher collègue, ne me remerciez pas, il n'y a vraiment pas de quoi. C'est à votre solide constitution que vous devez cette heureuse issue. Moi, je n'ai fait que mon devoir. Je dois avouer que ces problèmes font partie de mon domaine de spécialité, c'est vrai. Donc, vous prenez le train de l'après-midi. Si vous deviez repasser par Osnabrück...

– Edouard, ne veux-tu pas me présenter ce monsieur ? » fit une voix derrière mon dos.

Je me retournai. C'était Bibiche.

Nous nous regardâmes en silence. Rien dans l'expression de son visage ne trahissait son émoi. Parvenait-elle à se maîtriser à ce point ? Ou bien s'attendait-elle à me trouver là ?

Le médecin-chef fit les présentations :

« Dr Amberg... Mon épouse. La voiture est-elle prête, en bas ? Il est un peu tôt, j'ai encore du travail. Le

Dr Amberg était hospitalisé chez nous jusqu'à aujourd'hui. Il a été renversé sur la place de la gare par... Eh bien, docteur ? Comment les choses se sont-elles passées ? Racontez-nous cela, docteur Amberg.

– J'ai été renversé par une voiture, madame. »

Le médecin-chef se passa la main sur sa barbe, l'air satisfait.

« Vous n'avez donc pas reçu de coups de fléau, n'est-ce pas ? Il faut que tu saches, en effet, que c'était là son idée fixe. Des jours durant il n'avait que cela en tête. »

Il se mit à rire. Bibiche me regarda de ses grands yeux sérieux.

« ... Fracture des vertèbres cervicales, hémorragie cérébrale..., poursuivit le médecin-chef.

– C'était donc si grave que cela ! » me dit Bibiche.

La compassion et la douleur qui s'exprimaient dans sa voix me donnèrent l'envie de la prendre dans mes bras.

Le médecin-chef répondit à ma place.

« Eh oui, les choses n'ont vraiment pas été très simples. Il nous a donné bien du fil à retordre pendant six bonnes semaines.

– Je suppose que vous ne garderez pas un très bon souvenir de cette période, n'est-ce pas ? me demanda Bibiche en m'adressant un regard qui me fit comprendre avec quelle anxiété elle attendait ma réponse.

– J'en garderai un grand et beau souvenir. Je n'oublierai jamais cette période de ma vie. »

Je me penchai légèrement vers elle et lui demandai tout bas :

« ... Et vous, Bibiche ? »

Mais bien que j'eusse parlé très doucement, le médecin-chef entendit mes paroles.

« Vous connaissez ma femme ? Vous connaissez même son surnom ?

– Cela fait un petit moment que j'essaie de me rappeler où j'ai pu rencontrer ce monsieur », dit Bibiche précipitamment.

Elle me lança un regard suppliant : « Prends garde, ne me trahis pas ! Il se doute de ce qui s'est passé entre nous. S'il en avait la preuve... »

Non, Bibiche, n'aie aucune crainte, je ne te trahirai pas.

« J'ai eu l'honneur de travailler avec votre épouse à l'Institut bactériologique de Berlin. »

Bibiche sourit.

« Bien sûr ! Comment ne m'en suis-je pas souvenue plus tôt ? Et cela ne fait d'ailleurs pas très longtemps.

– Non, dis-je. Cela ne fait pas très longtemps. »

Nous nous tûmes et pensâmes tous deux à Morwede et à la petite chambre si modeste où conduisait un escalier grinçant.

Le médecin-chef toussota. Bibiche me tendit la main.

« Je vous souhaite bon voyage, docteur, et... »

Elle eut une hésitation et sembla chercher une ultime formule.

« ... et gardez un bon souvenir de nous », ajouta-t-elle à mi-voix.

Je lui baisai la main.

« Je vous remercie », dis-je, en sentant sa main trembler dans la mienne.

Bibiche devina à quoi je faisais allusion.

Je traversai la cour. Je n'eus pas besoin de me retourner pour savoir que Bibiche se trouvait près de la fenêtre et qu'elle me suivait du regard. Je le sentais.

Je marchais à pas lents. La neige commençait à fondre. Le soleil perçait entre les nuages, des gouttes d'eau tombaient une à une des toits. L'air était doux, on eût dit que le printemps allait arriver le jour même.

ŒUVRES DU MÊME AUTEUR TRADUITES EN FRANÇAIS

LE MARQUIS DE BOLIBAR (*Der Marques de Bolibar*), roman,
traduit par Odon Niox Chateau,
Albin Michel, 1930, rééd. 1985.

LE MAÎTRE DU JUGEMENT DERNIER (*Der Meister des jüngsten Tages*), roman,
traduit par Hugo Richter,
Librairie des Champs-Élysées, 1978 (épuisé).

LE CAVALIER SUÉDOIS (*Der schwedische Reiter*), roman,
traduit par Frédérique Daber,
Seghers, 1983.

TURLUPIN (*Turlupin*), roman,
traduit par Jean-Claude Capèle,
Fayard, 1987.

Le Livre de Poche/Biblio

(Extrait du catalogue)

Sherwood Anderson
Pauvre Blanc

Guillaume Apollinaire
L'Hérésiarque et Cie

Miguel Angel Asturias
Le Pape vert

Adolfo Bioy Casares
Journal de la guerre au cochon

Karen Blixen
Sept contes gothiques (nouvelles)

Mikhaïl Boulgakov
La Garde Blanche
Le Maître et Marguerite
J'ai tué
Les Œufs fatidiques...

André Breton
Anthologie de l'humour noir

Erskine Caldwell
Les Braves Gens du Tennessee

Italo Calvino
Le Vicomte pourfendu

Elias Canetti
Histoire d'une jeunesse - La langue sauvée
Histoire d'une vie - Le flambeau dans l'oreille

Les Voix de Marrakech
Le Témoin auriculaire

Blaise Cendrars
Rhum

Jacques Chardonne
Les Destinées sentimentales
L'Amour c'est beaucoup plus que l'amour

Joseph Conrad et Ford Madox Ford
L'Aventure

René Crevel
La Mort difficile

Iouri Dombrovski
La Faculté de l'inutile

Lawrence Durrell
Cefalù

Friedrich Dürrenmatt
La Panne
La Visite de la vieille dame

Jean Giono
Mort d'un personnage
Le Serpent d'étoiles

Jean Guéhenno
Carnets du vieil écrivain

Henry James
Roderick Hudson
La Coupe d'Or
Le Tour d'écrou

Ernst Jünger
Jardins et routes
(Journal I, 1939-1940)
Premier journal parisien
(Journal II, 1941-1943)
Second journal parisien
(Journal III, 1943-1945)
La Cabane dans la vigne
(Journal IV, 1945-1948)
Héliopolis
Abeilles de verre

Ismaïl Kadaré
Avril brisé
Qui a ramené Doruntine ?

Franz Kafka
Journal

Yasunari Kawabata
Les Belles Endormies
Pays de neige
La Danseuse d'Izu (nouvelles)
Le Lac
Kyôto
Le Grondement de la montagne
Tristesse et Beauté
Le Maître ou le tournoi de go

Andrzeij Kusniewicz
L'État d'apesanteur

Pär Lagerkvist
Barabbas

D. H. Lawrence
L'Amazone fugitive (nouvelles)
Le Serpent à plumes

Sinclair Lewis
Babbitt

Carson McCullers
Le Cœur est un chasseur solitaire
Reflets dans un œil d'or
La Ballade du café triste (nouvelles)
L'Horloge sans aiguilles

Thomas Mann
Le Docteur Faustus

Henry Miller
Un Diable au paradis
Le Colosse de Maroussi
Max et les phagocytes

Vladimir Nabokov
Ada ou l'ardeur

Anaïs Nin
Journal 1 - 1931-1934
Journal 2 - 1934-1939

Joyce Carol Oates
Le Pays des merveilles

Edna O'Brien
Un cœur fanatique
Une rose dans le cœur

Liam O'Flaherty
Famine

Mervyn Peake
Titus d'Enfer

Augusto Roa Bastos
Moi, le Suprême

Raymond Roussel
Impressions d'Afrique

Arthur Schnitzler
Vienne au crépuscule
Une jeunesse viennoise

Isaac Bashevis Singer
Shosha
Le Blasphémateur
Le Manoir
Le Domaine

Robert Penn Warren
Les Fous du roi

Virginia Woolf
Orlando
Les Vagues
Mrs. Dalloway
La Promenade au phare
La Chambre de Jacob
Années
Entre les actes
Flush
Instants de vie

IMPRIMÉ EN FRANCE PAR BRODARD ET TAUPIN
Usine de La Flèche (Sarthe).
LIBRAIRIE GÉNÉRALE FRANÇAISE - 6, rue Pierre-Sarrazin - 75006 Paris.
ISBN : 2 - 253 - 04773 - 2 42/3107/2